ISBN 978-0-259-14840-1
PIBN 10692176

FB &c Ltd, Dalton House, 60 Windsor Avenue, London, SW19 2RR.
Company number 08720141. Registered in England and Wales.

Hipponax.

Ein Taschenbuch
für
Freunde heiterer Laune.

Herausgegeben
von
Castor und Pollux.

Erster Jahrgang.
Mit illuminirten Kupfern.

*

Frankfurt am Mayn, 1814.
In der Joh. Christ. Hermannschen Buchhandlung.

Allen Freunden

heiterer Laune

aus vollem Herzen

zugeeignet

von den

Herausgebern.

Vorrede.

Ein Taschenbuch der Anekdoten, welches schnurrige Geschichten, witzige Einfälle enthält, das Aufheiterung, frohe Laune zum Zweck hat, sollte dieses wohl einer Apologie bedürfen? Wir glauben mit einem lauten, wohl vernehmlichen Nein antworten zu können. Hippocrates verordnete Nieswurz zum Kopfreinigen. „Das „Lachen ist die gesundeste aller Leibesbewegungen," sagt der bekannte Macrobiotiker in seinem Lebensbuche. Kant, der Weltweise, bewährt diese Sentenz in seiner Anthropologie mit den Worten: „durch jene „heilsame Bewegung des Zwerchfells wird „das Gefühl der Lebenskraft gestärkt, und „die Schwingung der Verdauungsmuskeln „weit besser befördert, als es der Arzt mit

„aller seiner Sapienz vermag." Demo-
crit, der Abderite, einer der größten Verehrer des Lachens, lebte 109 Jahre. —
Welche Aegide für unser Büchlein! Erfah-
rung und Speculation reden ihm das Wort.
Sein Glück ist gemacht!

Sachkundige Leser werden vielleicht
manchen alten Bekannten wieder finden;
allein die zweiten Auflagen verbürgen ja in
der Regel den Werth eines Werkes. Das
Schöne altert nie. Man wird übrigens auch
das mannichfaltige Neue nicht übersehen,
welches der Hipponax enthält.

Für die folgenden Jahrgänge sind uns
Beiträge willkommen, nur müssen sie, um
der Sicherheit willen, mit einem Ursprungs-
Certificat versehen seyn. Wir honoriren
solche nach dem Gewicht.

Und somit sey der Hipponax dem freundlichen Wohlwollen unserer Leser bestens empfohlen.

Geschrieben an einem schönen Herbsttage
im Jahr 1813.

Die Herausgeber.

Inhalt.

Taschenbuch

für

Freunde heiterer Laune.

1

1.

Falsche Ehrsucht.

„Sie scheinen nicht zu wissen", sprach der Rector K...... zu Giessen zu einem jungen Baron, der gegen das ausdrückliche Veto der academischen Gesetze mit einem Degen zur Immatriculation sich eingestellt hatte, „daß man bei „mir nur unbewaffnet erscheinen darf." — „Der Degen ist mir angeboren!" erwiederte der adeliche Herr. „Ach da sind Ihre „Frau Mutter zu bedauern", schloß der Rector lächelnd, „die müssen grosse Schmerzen gehabt „haben."

Während des siebenjährigen Krieges hatte der Graf von W** zur Reichsarmee Einen Husaren mit Sattel und Zeug als Contingent gestellt. Von dem Augenblicke an las man die Zeitungen mit erneutem Interesse am gräflichen Hofe, und inniges Vergnügen strahlte aus dem Antlitz der gräflichen Erlaucht, als sie nach der Roßbacher Schlacht sagen konnte: Unser Husar war auch dabei.

Ein Italienischer Edelmann hatte sich vierzehnmal geschlagen, um die Behauptung zu unterstützen, daß Dante ein grösserer Dichter sey, als Ariost. Auf seinem Todtenbette bekannte er endlich: daß er keinen von beiden gelesen habe.

Ein gewisser Professor der Theologie, als trefflicher Redner allgemein geschätzt, hatte in Z...e die Kanzel bestiegen. Ein Zufall wollte, daß der Geübte, der vielleicht nicht genug memorirt hatte, auf einen Moment die Fassung verlor, und in der Mitte seiner Rede Eine Minute lang inne halten mußte. Er äusserte sich nachher darüber scherzend gegen den aufgeblasenen Oberpfarrer, und Herr K. sagte: „O seyn „Sie deshalb unbekümmert; das ist etwas, das „auch dem besten widerfahren kann; es ist „selbst mir schon begegnet." — Verständige Leute behaupten, Hr. K. sey ein sehr mittelmässiger Redner.

In dem letzten Reichskriege stellte der Graf von Th., nach dem Anschlag, Einen Unteroffizier, zwei Gemeine und einen halben Tambour; letztern gemeinschaftlich mit einer nachbarlichen Herrschaft. Der Graf verlor während des Feldzugs seine trommelnde Hälfte, denn der Unglückliche kam mit amputirten Beinen in die Heimath zurück. Nach geschlossenem Frieden traten die drei übrigen auf dem Postwagen die Rückreise in das geliebte Vaterland an. Am Thore zu A. wurde der Wagen angehalten, und der Visitator musterte den Inhalt. In dem Hintergrunde des Wagens saß die gräfliche Soldatesca, und entgegnete auf die höfliche Frage: „Mit Verlaub, wer sind

„Sie, meine Herrn?“ — „Was hat der Herr neu-
„gierig zu fragen! es ist das Armeekorps des
„Herrn Grafen von Th.“

Ein Jude, welchen seine Zudringlichkeit bis
in das Vorzimmer einiger Grossen geführt hatte,
pflegte seine, bei jenen Excursionen erlangten
Feinheiten und Geschäftskenntnisse stets mit den
Worten zu rühmen: „Nu, ich habe auch
„Hofsuppe gegessen.“

Die Familiengruft der Grafen von *** ist
auf dem Dorfe Ludwigslust Eine Meile von der
gräflichen Residenz entfernt. Der verstorbene Graf
Karl Friedrich, liess, kurz vor seinem Tode,
seinen alten Kammerdiener vor sein Bette rufen, und sprach: „Wenn ich todt bin,
Wilhelm, so sorge dafür, dass ich or-
dentlich frisirt werde, und dass die
Haarnadeln in den Locken fest und
gerade stecken, damit sie durch das
Rütteln im Fahren nicht ausweichen,
und mir den Kopf verletzen. In der

Kirche laß den Sarg noch einmal öffnen, nimm mir den Hut ab, und setze mir eine Mütze auf, denn das bin ich so gewohnt, wenn ich in's Quartier komme."

Man rühmte die herrliche Predigt, welche der Superintendent N. bei Gelegenheit des Erndtefestes gehalten hätte. „Ich meine Herrn," fiel der anwesende Küster mit selbstgefälliger Miene ein, „ich bin es, der dazu eingeläutet hat."

Die Erbprinzessinn von *** war die Herablassung selbst, und bezauberte durch ihre Herzensgüte jeden, der ihr, auch nur entfernt, sich nahte. Unter andern hatte sie ihr Wohlwollen einer artigen Judenfrau. Namens Bär geschenkt. Zudringlich, wie die Damen dieser Nation sind, bat sich Judith die Gnade aus, daß ihr, als die Fürstinn dem Lande einen Thronerben zu schenken Hoffnung hatte, die Kunde der Niederkunft durch den Laufer zuerst hinterbracht würde. Die

Bitte wurde gewährt, und von der launigen Prinzessinn nicht vergessen. Einst erschien vor Bär's Hause Morgens, als noch alles im Schlafe lag, der Laufer, und sagte Namens Ihrer Durchlaucht die Entbindung an. Da rief Judith ihrem Eheherrn aus dem Bette zu: „Hilf „mir auf, Bär, ich kann vor lauter „Gnade und Ehre nicht aufstehn."

Der Kuhhirte von Maynslingen fand sich tief gekränkt durch das geringe Talent und die noch geringere Neigung seines Sohnes für das edle Gewerbe des Vaters. In einer Aufwallung des gerechtesten Unwillens sprach der Alte zum Sohne: „Aus dir wird dein Lebtage nichts! Ich kann weder einen Vorder- noch einen Hinterknall in dich bringen. Du kannst den Ringstock nicht werfen! Mir bleibt nichts übrig, als, zur Schande unserer Familie, dich ein Metier lernen zu lassen."

Im Anfange des unglücklichen Krieges mit Frankreich ward in dem südlichen Deutschland ein Landsturm veranstaltet. Ein Graf von Z*, der einige Hufen verschuldeten väterlichen Erbes besaß, auf welchen er nothdürftig ein paar Knechte ernährte, ließ, im ersten Anfluge hochgräflichen Muthes, diese in die Reihen der Vaterlandsvertheidiger treten, und ward bald Zeuge ihrer Flucht. Als er von diesem Glückswechsel hörte, eilte er zu einem seiner Freunde, und rief bei dem Eintreten in dessen Zimmer: „Ach, Freund, haben Sie schon von dem Unglück gehört? Lassen Sie uns nach der Landstrasse eilen; ich muß erfahren, wohin sich mein Volk gewendet hat.“

Ein alberner Lederhändler hatte sich über seine Hausthüre einen massiven Ochsenkopf zum Schilde fertigen lassen, mit der Unterschrift: Gottlieb Friedrich Trautmann.

2.

Selbstverläugnung.

Ueber den Ursprung der den ehrsamen Schneidern allgemein ertheilten Benennung Geisböcke, hat man verschiedene Erklärungen. Nachstehende ist indessen diejenige, welche nicht auf blosse Hypothese sich stützt. Ein Schneiderlein, klein und zierlich von Gestalt, wanderte wohlgemuth auf der Strasse nach Nürnberg. Nicht fern von Hemman (der Ort ist seiner schlechten Wirthshäuser wegen berüchtigt) stieg unseres Reisenden muntere Laune auf's Höchste. Das Männlein sang ein Kriegslied, und hieb zu wiederholtenmalen mit seinem Stabe in eine Dornhecke ein, unter dem furchtbringenden Geschrei: „Ha! wenn das Husaren wären." — Aber siehe da, plötzlich gewahrte unser Reisender einen leibhaftigen Husaren, welcher auf der Strasse daher gesprengt kam. Zufall vermuthlich, doch der Wandersmann war nicht dieser Meinung. Er hielt es für gerathen das Weite zu suchen, und lief querfeldein. Dem Husaren mußte des Schneiders Flucht auffallen. Er setzte im stärksten Gallop nach, und erreichte ihn endlich auf dem Anger eines Dorfes, wo der Arme seine Zuflucht in das Gerippe einer Geiß genommen hatte, und mit flehender Stimme dem Kriegshelden zurief: „Ach Erbarmen, Herr Husar! schont des Kindleins im Mutterleibe.“

„Sie sind die Unschuld selbst, liebes Kind!“ sagte der Rath Valentin zu Auroren, dem weißgekleideten Töchterlein des Superintendenten, das nicht ganz unerfahren in Ovids Kunst war. „Ach, das sagen Sie nur“ erwiederte tief erröthend die Schöne.

Ein Bauer wollte seinen Sohn die Kunst des Besenbindens lehren, dieser aber benahm sich dabei sehr ungeschickt. Der Alte sagte verweisend: „So hätte ich meinem Vater nicht kommen dürfen.“ — „Ihr mögt mir auch einen saubern

Vater gehabt haben," antwortete der Sohn. — „Hättest du, Tölpel, nur einen solchen Vater, wie der meinige war," rief zornig der Alte.

Ein grosser Mensch erhielt von einer kleinen Person eine Ohrfeige, ohne daß er im Stande gewesen wäre, die Schuld augenblicklich quitt zu machen. Man fragte ihn deßhalb, und ganz treuherzig gab er zur Antwort: „Es waren die Interessen von einer Schuld, die ich von ihm zu fordern habe. Ich nehme lieber diese, als die Schuld selbst zurück."

Heidegger, ein deutscher Musicus in London, war ein abentheuerlich gestalteter, aber aufgeweckter und gescheuter Mann, mit dem auch Vornehme gern in Gesellschaft waren. — Einsmals fiel es ihm ein, in einem Punsch-club gegen einen Lord zu behaupten, daß er das häßlichste Gesicht in London sey. Der Lord sann nach, und schlug eine Wette vor, daß er ihm ein noch häßlicheres aufstellen wollte, und liess sogleich ein versoffenes Weib rufen, bei deren Anblick die ganze Gesellschaft in ein helles Lachen gerieth, und ausrief: „Heidegger! Ihr habt die Wette verloren!" — „Das geht so geschwind nicht, antwortete dieser; denn nun laßt das Weib meine Perücke und mich ihre Kornette aufsetzen; dann wollen wir sehen." Als das geschah, fiel alles ins Lachen bis zum Ersticken: denn das Weib sah wie ein ganz manierlicher Mann, der Musicus aber wie eine Hexe aus.

3.

Geistesgegenwart.

Die Frau des, seit mehrern Jahren auf dem linken Auge am grauen Staare leidenden Acciseinnehmers Jeremias Falk in M—h—m stand noch in einigen ausserordentlichen (aber nicht ungewöhnlichen) Verhältnissen mit dem Lieutenant W—r, einer Bekanntschaft ihrer Blüthenzeit. Wir finden das sehr natürlich, denn einmal sagt ja das Sprichwort, alte Liebe rostet nicht, und dann läßt es sich der guten Frau auch nicht verdenken, daß sie ihre, aus zwei allerliebsten blauen Augen strahlenden Schelmenblicke lieber mit des Lieutenants Feuerblicken erwiedert sahe, als aus der einseitigen Zollschau ihres Tyrannen. Nun ergab es sich aber, daß der Eheherr Diensteshalber verreisen mußte, und zwar zu einer, bei den bewußten Verhältnissen, nicht ganz günstigen Epoche, nämlich in der Carnavalszeit. Man denke sich die kurze Helle, die lange Dunkelheit; welche

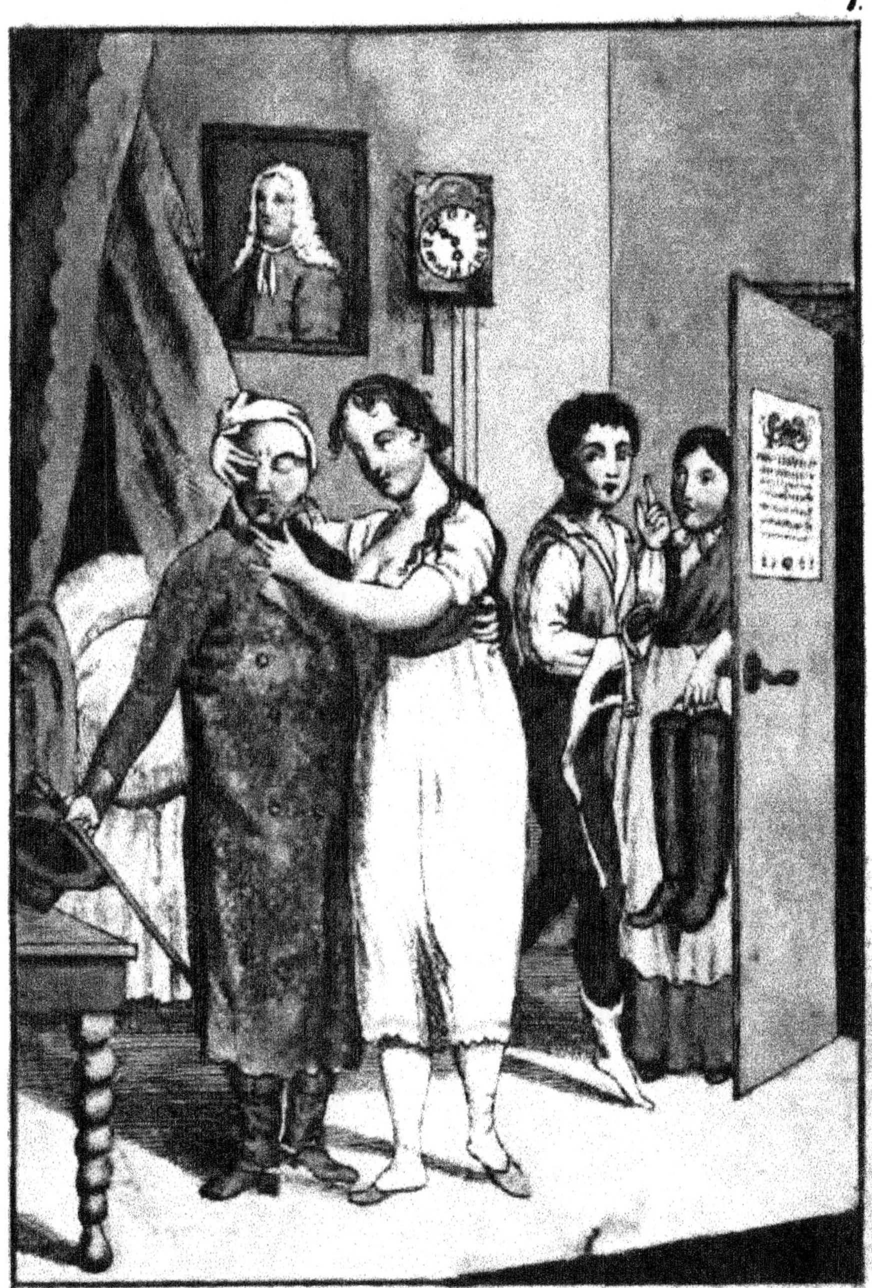

2. Aber dein Auge, mein süßer Jeremias?

Lockungen für unsere Liebenden! Um nicht in-discret zu werden, bemerken wir blos, daß der Lieutenant seiner armen Rose in ihres Jeremiä Abwesenheit treulich beistand, und dies war zumal wegen der langen Nächte eine gute Sache, denn das Haus des Zöllners war entlegen, und die Geldkisten in der Regel gefüllt. Als nun der Kriegsmann einst abermals auf seinen Posten war (ob mit Wachen und Beten beschäftigt, wissen wir nicht), da stürzte das seiner Gebieterinn sehr anhängliche Dienstmädchen mit dem Geschrei: „Der Herr ist da! der Herr ist da!" zur Thüre herein. Jetzt war Fassung Noth. Der Lieutenant verließ das Schlachtfeld mit Zurücklassung aller Bagage. Rose sprang dem Männchen entgegen, herzte und küßte es, und rief: „Aber dein Auge, du süsser Jeremias, dein linkes Auge!" — „Nun was ists denn?" — „Der Staar ist ja weg" — sagte Rose, indem sie ihm das rechte Auge zuhielt: „nicht wahr, du hast wieder einigen Schein?" — Herr Falk bejahte der Eitelkeit zu gefallen, das Haus,

mädchen fand Zeit genug die militärischen Effecten während der Blindheit des Accisers fortzuschaffen, und alles lief so ruhig und friedsam ab, daß der Lieutenant im Spätherbste, als Jeremias zum drittenmale die Vaterfreude erlebte, von dem glücklichen Zöllner zum Gevatter auserlesen wurde.

Bei einer Heerschau, welche Ludwig XV. über seine reitenden Grenadiere nach einem nicht lange zuvor mit England geschlossenen Frieden hielt, befand sich auch der Gesandte dieser Macht. Der König stand vor einem Grenadier still, dessen Gesicht mit Narben bedeckt war. „Herr „Ambassadeur," sagte er zu dem Engländer, „bekennen Sie, steht es diesen Leuten nicht auf „dem Gesicht geschrieben, daß sie die bravsten „Truppen in Europa sind?" — „Ja, Sire," erwiederte der Engländer, „doch was werden Ew. „Majestät von denen sagen, welche diese Wunden „schlugen?" — Der König von der treffenden Antwort überrascht, schwieg betreten. Da brach der Grenadier das militärische Schweigen, und murmelte unwillig zwischen den Zähnen: „die „sind todt."

Ein Mensch, der dem Aeussern nach einem Soldaten sehr ähnlich sehen mochte, hatte sich in einem peinlichen Gerichtshofe in London auf eine Bank gesetzt, wo eigentlich bloße Zuschauer, wie er war, nicht hingehörten. Der Richter, der dieses bemerkte, sagte zum Gerichtsdiener ganz freundlich, aber doch etwas laut: „Bedeutet „doch dem Soldaten dort, er möchte so gut seyn, „sich an eine andere Stelle zu setzen." Hierdurch fand sich der Herr beleidigt, fuhr hitzig auf, und sagte: „Ich bin kein Soldat, „ich bin ein Officier," und zeigte auf die Cokarde, das in England übliche Abzeichen. Nunmehro sagte der Richter, seiner grossen Vorrechte sich bewußt, und ohne seine Fassung im mindesten zu verlieren, mit gebieterischer Stimme zum Gerichtsdiener: „Hört, schafft

„mir einmal dort den Officier weg,
„der kein Soldat ist."

„Keine Rose ohne Dornen," sagte Elise, als man in Gesellschaft, wegen ihres Ausschlags am Munde, sie bedauerte.

In Heilbron wurde von einer wandernden Truppe, nachdem bereits drei, oder viermal zum letztenmale, wie das Brauch ist, gespielt worden war, Babo's bekannte Tragödie: Otto von Wittelsbach, verarbeitet. Als der Held des Stücks bereits verschieden war, mußte er troß allem Widerstreben herzhaft niesen. „Prosit," rief eine Stimme aus dem Paradies. Da richtete der Verblichene sich auf, und sprach mit donnernder Stimme die Worte: „Wer kann dir in der Hölle danken?"

Einem Juden, der zur Richtstätte geführt wurde, rief einer seiner Glaubensgenossen zu:

„Nun Glück auf den Weg, Itzig! —
„Werd's brauchen" replicirte der Reisende.

Einst kam ein Cornet vom Leibdragoner-Regiment als Ordonnanz zum Fürst Leopold I: Der Officier nahm die Mütze ab, und verbeugte sich tief. Der Fürst, welcher im Hemde am Kaminfeuer stand, erwiederte dieses antimilitärische Benehmen damit, daß er ihm die Zunge entgegenstreckte, und ihn dann mit Fluchen und Schimpfen fortjagte. Der Officier kam hierauf zurück in das Zimmer, behielt seine Mütze auf, und fragte lärmend und polternd nach dem Feldmarschall, welcher doch vor ihm stand. Der Fürst verstand gleich, was das heißen sollte, ließ sich schleunig Degen, Hut und Feldbinde geben, bekleidete sich damit, doch ohne sonst etwas mehr als das Hemd anzuhaben, empfing den Rapport des Officiers mit freundlicher Miene, und bat ihn alsdann zur Tafel.

Beim Kartenspiel vergaß sich Lieutenant von H—st so sehr, daß er dem mitspielenden Schulmeister im eifrigen Wortwechsel zurief: „Und was verstehen Sie davon, Herr, Sie „mit Ihren Bauernbuben.“ — Da erwiederte das Schulmeisterlein mit einer kleinen Verbeugung: „Hätten meine Bauerbuben grüne Röcke an, so wären sie alle Füseliers.“

Condé ward erinnert, dem Altare nicht den Rücken zuzukehren. „O! rief er, der liebe „Gott ist wie ein Bataillonquarree. Man „schaut ihm allenthalben ins Angesicht!“

Als Joseph der Zweite unter dem Namen eines Grafen von Falkenstein in Paris sich aufhielt, besuchte er, wie dieß häufig zu geschehen pflegte, eine Cotterie. Man stritt gerade sehr heftig über die Freiheit der Americaner. Eine etwas dreiste Frau hatte die Frechheit, ihn zu fragen: „Qu'en pensez Vous

„Mr. le Comte, et quel partie tenez Vous?“ Seine Antwort war: „Eh! mais, Madame, „mon métier à moi est d'être royaliste.“

Bei einem prächtigen Turniere, welches an König Philipps Hofe veranstaltet wurde, hatte jeder Cavalier sich eine Dame gewählt, der zu Ehren er kämpfen wollte, und deren Farbe er schon den Tag vorher tragen mußte. Der Marquis de Posa befand sich bei der Königinn in grosser Gesellschaft. Sie ließ sich von ihm alle die Damen nennen, welche Ritter hatten. Es fand sich zuletzt, daß sie selbst leer ausging. Das war ganz natürlich, denn nur ihr Oheim Don Juan, oder ihr Stiefsohn Don Carlos hätten Anspruch auf eine solche Ehre machen dürfen, und beide hatten es nicht gewagt, weil sie beide verliebt in die Königinn waren, und sich bei dieser Gelegenheit zu verrathen fürchteten. Die schöne Elisabeth beklagte sich scherzend über ihr Unglück. Da versetzte Posa mit der größten Ernsthaftigkeit: „Wären Ihro Majestät so schön als „die andern Damen am Hofe, so würden Sie „auch schon einen Ritter gefunden haben.“ — Man lachte, und die Königinn antwortete mit gleicher Ernsthaftigkeit: „Sehr wohl, Herr „Marquis, um Sie für Ihre Unverschämtheit „zu bestrafen, befehle ich Ihnen, mein Ritter „zu seyn, damit Ihnen der Schimpf zu Theil „werde, für die Häßlichste am ganzen Hofe „eine Lanze gebrochen zu haben.“ Am folgenden Tag erschien der Marquis mit einem Schilde in den Schranken, auf welchem die Mittagssonne abgebildet war mit der Umschrift: „Ich entflamme jedes Herz.“

Herr Hahn in Minden wurde damit geneckt, daß seine Frau um sechs Monate zu früh in die Wochen gekommen wäre. „Sie „sind ganz unrecht berichtet, meine Herren!“ entgegnete der Ehemann, „meine Frau ist nicht „zu früh in die Wochen gekommen, wir haben

„nur um einige Monate zu spät Hochzeit ge„halten."

Ein berittener Capuziner begegnete einem Bischoffe, der in einer Kutsche fuhr. „Seit wann „sitzt denn der heilige Franciscus zu Pferde?" fragte der Bischoff. „Seitdem der heilige Pe„trus in der Kutsche fährt," war die Antwort des Capuziners.

Bei dem Minister von Baum.... in R** ließ sich einige Wochen nach dem Tode des Staatsraths T......, seines vertrauten Freundes, ein Gelehrter melden, und bat um Nachweisungen und Actenstücke, die von ihm zur Biographie des Verstorbenen benutzt werden sollten. Der Minister sah ihn einen Augenblick nachdenkend an; der Gelehrte fürchtete eine abschlägige Antwort, und setzte höchst unüberlegt hinzu: „Ew. Excellenz können versichert „seyn, daß ich einst die Data zu Hochihrer „Lebensgeschichte mit eben so warmen Eifer

„suchen werde!“ Der Minister, ohne eine Miene zu verändern, fragte ihn ruhig: „Wie „alt sind Sie?“ — „Sechs und vierzig!“ — „So! Ich bin erst vierzig! Aber ich werde „meinem Secretair auftragen, Ihnen die Acten „zu schicken, und meinen Namen auf die Sub„scriptionsliste einzuschreiben.“

Ein Marktschreier verkaufte auf dem Jahrmarkte zu Limburg ein Antiflohpulver. Mit der gespanntesten Neugier hatte eine etwas bejahrte Schöne den vielversprechenden Aeusserungen des Wunderdoctors zugehört. Für sie schien das Arcanum ein ganz besonderes Interesse zu haben; warum, dieß läßt sich ergründen, ohne ein Rathsherr zu seyn. „Wenn Ihr Euch des „Flohes versichert habt,“ so schloß der Künstler, „so brecht ihm den Rachen auf, drückt die Zunge „mit einem gewöhnlichen Eßlöffel nieder, und „schüttet ihm eine Messerspitze voll hinunter. Pro„batum est!“ — „Ja“ sagte die Alte, „wenn „er erst in meiner Gewalt ist, dann breche ich

„ihm gleich den Hals." — „Auch gut!" rief der Hanswurst, der Reisegefährte des Arztes.

Hinter einer Dame von schlanker Gestalt, deren Gesicht aber durch die Pocken sehr verdorben war, gingen zwei ....e Offiziere auf der Promenade. Als sie sich von ungefähr umkehrte, und die Kriegshelden ihr Gesicht sahen, sagte der eine halblaut: „Auf der hat der „Teufel Erbsen gedroschen." — „Und „Sie waren der Flegel," entgegnete rasch und mit sehr lauter Stimme das Frauenzimmer.

4.

Geistesabwesenheit.

Was ein Seifenzäpfchen ist, und wozu ein solches Wesen gebraucht wird, weiß jedermann. — Eine Dame schickte ihre Zofe zu dem Provisor einer Apotheke, und ließ ihn um ein Seifenzäpfchen ersuchen. Kammermädchen haben viel zu denken; kein Wunder also, daß bei der Bestellung eine kleine Verwechselung statt fand. Man erbat sich nämlich von dem Herrn Zäpfchen einen Provisor. — Wie erstaunte der ehrliche Neunundneunziger, als er hörte, zu welchem Gebrauch er bestimmt sey.

Es war die Rede von einem gewissen Herrn Breitinger aus Zürch, mit welchem jemand in den achtziger Jahren in Strasburg studirt hatte. „O! den kenne ich recht gut,“ sagte dieser nach ungefähr 30 Jahren, „das ist der junge „Breitinger aus Zürch.“

Lessing hatte einst einen Bedienten, dessen Treue man ihm verdächtig machte. Lange wollte er keinen Argwohn bei sich aufkommen lassen; endlich beschloß er, den Menschen auf die Probe zu stellen, und erzählte seinem Freunde, er habe Geld auf dem Tische liegen lassen, um zu sehen, ob der Bediente etwas davon nehmen würde. „Haben Sie sich aber auch „aufgeschrieben, wie viel Sie hinlegten?“ fragte der Freund, der Lessings Zerstreuung kannte. Lessing sahe ihn sehr betroffen an: es zu zählen, hatte er vergessen.

Ein Mönch predigte am Ostertage in einem Nonnenkloster, und, um den Damen einen Beweis seiner Galanterie zu geben, hielt er sich sehr lange bei dem Umstande auf, daß Christus zuerst drei Frauen erschienen wäre. Unglücklicherweise verlor er den Faden seiner Gedanken, als er eben die Frage aufgeworfen hatte, „warum das geschehen sey?“ Aber nachdem er das Warum einigemal wiederholt hatte, fuhr er endlich heraus: „Er wußte wohl, daß „seine Auferstehung dadurch am schnellsten unter „die Leute kommen würde."

Dr. K..s zu G**n stellte vor kurzem einem Conscribirten ein Attestat aus, worin unter andern auch vorkam, „daß der Mensch mit „einem Uebel am linken Vorderfuß „behaftet sey."

Herr von Leo, ein schlesischer Landedelmann, Mitglied der ständischen Versammlung, war so zerstreut, daß er bei einer gewissen feierlichen Gelegenheit sich drei rothe Gallakleider, das eine von Leipzig, das andere von Dresden und das dritte von Berlin, auf einmal verschrieb, und am Abend vor dem Feste, ungeachtet alle drei angekommen waren, sich dennoch in grosser Verlegenheit befand, weil er keinen schicklichen Anzug habe.

Frau von P. befahl dem Kammermädchen, ihre Geschäftsträgerinn, die Jüdinn Esther, herbei zu holen. Diese verschob die Vollziehung des Auftrages, und vergaß ihn bald. „Nun,“ fragte jene beim Auskleiden: „warum kam „denn die Jüdinn nicht?“ „Es that ihr recht „sehr leid,“ entgegnete Lisette, „sie wollte eben „zur Beichte gehen.“

Neuton vergaß oft, wenn er an einem mathematischen Satze arbeitete, Essen und Trinken. Seine Mittagsmahlzeit wurde gewöhnlich in das untere Zimmer auf den Ofen gestellt. Ein Freund kommt eben zur Mittagszeit, hört, daß N. sehr beschäftigt sey, sieht das Mittagsessen, verzehrt es, und setzt das Gefäß wieder an die Stelle, so wie es N. zu thun gewohnt war. Nicht lange darauf kommt auch N., um zu speisen, findet aber alles leer, und wundert sich, wie er vergessen habe, daß er schon zu Mittag gespeist.

5.

Diensteifer.

Ein Prediger, auf den die ehrsame Gemeinde schon lange Zeit gewartet hatte, weil er sich von der wohlbesetzten Tafel nicht zu trennen vermochte, an der ihn der Gutsherr gastlich bewirthete, wurde vom Küster gemahnt, daß der letzte Vers des Liedes bereits angefangen sey. Der geistliche Herr ließ, um Zeit zu gewinnen, ein zweites Lied anstimmen. Der mahnende Küster erschien abermals, und noch war die Tafel nicht zu Ende. „So singt nur den 119. „Psalm," rief zürnend der Geniessende. — „Sehr wohl, Herr Pfarrer," entgegnete pflichtschuldigst der Küster, eilte so schnell, als seine Corpulenz es nur immer zuließ, zurück in die Kirche, und schrie laut: „die Röcke aus, ihr „Jungen, der 119. soll daran!"

Ein Kaufmann in Lübeck bat einen seiner Correspondenten in Lissabon, daß er ihm bei erster Gelegenheit 1 oder 2 Affen besorgen möchte. Der Brief war Italienisch geschrieben, in welcher Sprache der Buchstabe o bekanntlich das Wort: oder, ausdrückt. Da aber das o zwischen 1 und 2 stand, so las der Portugiese 102 Affen, schickte also seinem Freunde mit dem ersten Schiff 86 Affen zu, und versicherte ihn, daß die übrigen 16 bald nachfolgen sollten.

Ein Küster sang, im Beiseyn der Mitglieder des Consistoriums, das: Nun danket alle Gott, und schrie dabei wie ein Besessener. — „Recht gut, Herr Küster!" sagte der Superintendent, „nur hat seine Stimme zu „viel durchgegriffen." — „Erlauben Euer Hochwürden, dieß ist ein Danklied, das herausgetrieben werden muß," war die Replik des Sängers.

In Bibra war ein neues Schlachthaus erbaut worden. Die Metzgerzunft kam bei dem

Bürgermeister M.....r mit der Klage ein, daß das Thor zu eng sey, um einen Ochsen hinein zu bringen. M.....r verfügte sich an Ort und Stelle, um es in Augenschein zu nehmen, und sagte, indem er mit ausgebreiteten Armen durch das Thor des Schlachthauses schritt: „Was, „hier sollte kein Ochse durchgehen „können?“

6.

Muth.

In der Schlacht von *** flog das Pulvermaga- zin der Spanier gleich beim ersten Angriff der Feinde in die Luft. Unerschrocken und gelassen sagte Gonsalva de Cordova, der Feldherr Ferdinands V. Königs von Arragonien, zu seinen Soldaten: „Kinder, der Sieg ist unser! Der Himmel verkündigt uns denselben durch die- ses Signal, er deutet uns an, daß wir keine Artillerie nöthig haben werden.“ Durch dieses Vertrauen beseelte der General den Muth der Armee, und die Schlacht wurde gewonnen.

Ein Oesterreichischer Kanonier wollte bei Bel- grad eine Kanone abbrennen; eine Türkische Ku- gel riß ihm aber seine rechte Hand mit der Lunte weg. Ganz gleichgültig ergriff er die Lunte mit der linken Hand, und brannte die Kanone ab, indem er zu seinen Cameraden sagte: „haben

„die Schurken vielleicht geglaubt, daß ich nur
„Einen Arm habe."

Als man im siebenjährigen Kriege dem General Laudon vor einer Schlacht die Anzeige machte, daß die Feinde in grosser Masse anrückten, man befürchtete nämlich, daß die Nachricht von ihrer überlegenen Macht seine Armee leicht muthlos machen könnte; so sagte er, als ein Officier ihm anrieth, daß es wohl besser sey, Kundschafter auszusenden, um die Stärke des Feindes zu erfahren: „Wir wollen sie zählen,
„wenn wir sie geschlagen haben." Durch diesen Einfall feuerte er den Muth der Seinigen an, und erfocht einen glänzenden Sieg.

7.

Witz.

Der Papierfabricant Grück hielt bei dem Fürsten von *** um die Erlaubniß an, eine neue Papiersorte verfertigen zu dürfen mit dem Höchsten Bildniß und der Unterschrift: Pro patria. Lächelnd entgegnete der witzige Fürst: „Wählen Sie das Portrait Ihrer Frau Liebsten, und setzen darunter: Pro pecunia."

Paul, ein alter Kammerdiener der Landgräfinn Maria, wurde auf Befehl der Fürstinn, nachdem er bereits pensionirt worden, noch täglich aus der Hofküche gespeist. Man vernachlässigte den Alten sehr, und sendete ihm namentlich sehr magere Suppen. Einst begegnete ihm die Landgräfinn, als er eben eine Schüssel voll Suppe an einen Bindfaden gebunden hinter sich her zog: „Was machst du, „Paul?" fragte sie. — „Ich führe einen

„Blinden spazieren“ entgenete der alte Diener.

Ein Superintendent, der zugleich Inspector eines Freitisches war, ärgerte sich oft über einen Candidaten, der sich angewöhnt hatte, bei jeder Gelegenheit Distinctionen zu machen, und sie allemal mit dem Worte distinguo anzufangen. „Ei, zum Henker mit Ihrem distinguo!“ fuhr der Superintendent einmal heraus, und, um den Candidaten in Verlegenheit zu bringen, setzte er hinzu: „Sagen Sie mir doch, kann „man auch mit Suppe taufen?“ — „Distinguo!“ erwiederte der Candidat, „mit Ihrer Suppe? Nein. Aber mit der vom Freitisch? O ja!“

Lichtenberg sagt: daß, in manchen Gegenden Deutschlands, zumal auf dem Lande, an den Häusern, worin zugleich Wein, wenigstens Branntwein geschenkt wird, aushängende Schild drückt ein freundschaftliches Benehmen zwischen Wasser und Wein aus. Bekanntlich ist ein gleichseitiges Dreieck auf die Spitze gestellt, das Zeichen des Wassers, hingegen des Feuers, wenn es auf einer der Seiten steht. In dieser Lage verbunden machen sie das Bierschild. Mendelsohns Thetis, die ein Bachus umarmt.

Man stritt in einer Tischgesellschaft über das Alter der Welt. Einer, der dem Streite ruhig zugehört hatte, endigte ihn mit den Worten: „Ich, meines Orts, glaube, daß die Welt einer bejahrten Coquette gleicht, welche ihr Alter zu verbergen sucht.“

Friedrich der Einzige, der in seinen ernsten Geschäftsstunden durch die majestätische Größe seines Geistes alles zur Ehrfurcht niederdrückte, war in den Stunden seiner Muse der liebenswürdigste, einnehmendste Gesellschafter, und wußte, durch die heitere Stimmung seines Geistes auch den Geringsten zum Frohsinn und

Witz zu begeistern. — Einst hatte ihm sein Mundkoch, Noel, eine vortreffliche Pastete vorgesetzt. Der König lobte ihn dafür, aber setzte hinzu: „Wenn Er mir viel dergleichen „macht, so fürcht' ich, ich versündige mich so „sehr durch Essen, daß wir beide in die Hölle „fahren." — „Was thät's," antwortete Noel; „weiß doch die ganze Welt von „uns, daß wir beide das Feuer „nicht scheuen."

Auf der Bühne zu T** ging ein Trauerspieldichter tiefsinnig und mit grossen Schritten auf und nieder. „Was machen Sie, lieber Freund" fragte ihn ein Bekannter. „Ich nehme das Maß zu einem neuen Trauerspiele," war die Antwort des Dichters.

Der Abt Häseler, einer von den heftigsten Orthodoxen, war ein Mann von einem höchst wunderlichen, bizarren Charakter. Einst trug er einem berühmten Buchhändler, mit dem er im Bade zu Driburg zusammentraf, „Moralische Predigten für Christen, Juden und Heiden“ zum Verlage an. Der Buchhändler antwortete: „Ich bedaure, Herr Abt, daß ich von Ihrem Anerbieten keinen Gebrauch machen kann; denn die Christen lesen keine Predigten mehr, die Juden kaufen keine, und mit den Heiden stehe ich in keinem Handelsverkehr.“

König Jacob pflegte zu sagen, er kenne keinen bescheidnen Mann, der am Hofe sein Glück gemacht hätte. Als er nun eines Tags diesen Ausspruch wiederholte, so erwiederte David Floyd, der den Dienst bei ihm hatte, ohne alle Umstände: „Aber an wem liegt „denn die Schuld?“ Der König fühlte sich getroffen, und schwieg.

„Zum Spaß, Herr Gevatter, laßt uns ein„mal Verse machen,“ sagte der Förster zum Müller, mit dem er in fröhlicher Laune bejm Weine saß.

„Verse?" fragte der Müller. „Hab' ich doch „in meinem Leben noch keinen Vers gemacht!"

F. Thut nichts! ich auch nicht; vielleicht geht's doch.

M. Nun, so fangt an, ich folge nach!

F. Aber nota bene! Wahrheit muss der Vers enthalten, sonst gilt er nicht.

M. Auch gut, nur zu!

F. Wo bleibt die brüderliche Liebe!
Die ganze Welt ist voller — Müller.
Gilt dieser Vers, Gevatter?

M. Gedult. (sinnt nach)

F. Frisch zu!

M. Jetzt kommt's.
Ihr seid ein braver Mann, das sag' ich unverholen,
Habt unserm gnäd'gen Herrn schon manchen Baum ge—zogen.
Nun ist die Reihe wieder an euch!

F. Laßt's gut seyn! Es kommt beim Versmachen nicht's heraus.

„Oder zu viel," sagte der Müller.

Der Kaufmann S—r zu F. hatte ein neues sehr kostbares Haus erbaut; bei der Anlage war jedoch ein grosser Fehler gemacht worden. Küche und Abtritt hatte man auf eine so nachtheilige Weise angebracht, daß jene stets rauchte, und dieser einen immerwährenden üblen Geruch verbreitete. Der Hauseigenthümer, dem sehr viel daran gelegen war, diesen beiden Mißständen abgeholfen zu sehen, ließ einen Bauverständigen kommen, und consultirte diesen über den Fall. Der Architect, der ein sehr loser Vogel war, sagte endlich zu ihm, nachdem er ihn lange Zeit herumgezogen hatte: „Hier bleibt „kein anderer Ausweg übrig, als Sie müssen „auf dem Abtritte kochen, und die Küche zum „entgegengesetzten Behufe verwenden."

Ein Domherr vermachte mittels Testaments seinem Neffen die Bibliothek und den Weinkeller. Beides wurde versteigert, weil der junge Mensch noch nicht im Stande war, das Legat gehörig zu gebrauchen. Der Erlös aus der Bibliothek betrug ungefähr 50 fl., der Wein aber wurde mit 5000 fl. bezahlt. Als man sich über dieses artige Vermächtniß wunderte, gab der Erbe ganz trocken zur Antwort: „Der Onkel wußte wohl, was er that, der Buchstabe tödtet, aber der Geist macht lebendig.“

„Bleibt ruhig sitzen,“ sagte Harvei zu einer Frau, welche sich in einem Gäßchen so eben niedergesetzt hatte, um ein bekanntes Privatgeschäft zu verrichten, aber beim Anblick des Präsidenten sich erheben wollte, „bleibt ruhig sitzen, ich will lieber die Henne, als das Ei sehen.“

Polyphem, des Erasmus von Rotterdam Bediente, hatte es in der Gewohnheit, mit andern über das Evangelium zu streiten. Einst wurde der Streit heftiger, der Gegner noch hartnäckiger, Polyphem konnte ihn nicht widerlegen. Er ergriff daher das neue Testament, und warf es ihm an den Kopf. Erasmus sagte hierbei laut auflachend: „So habe ich das Evangelium mit dem Evangelio noch nie vertheidigen sehen.“

Ein katholischer Priester begegnete einem Soldaten, und grüßte ihn mit den einfachen Worten: „Gott gebe euch Frieden.“ Der Soldat antwortete: „Und euch nehme er das Fegefeuer, so sind wir alle beide Bettler.“

Die Africanischen Gesandten wollten bei einer Audienz die Füsse Carls V. küssen. Der Kaiser verhinderte es, und sagte ganz ernsthaft: „Der Kopf, nicht die Füsse regieren.“

Graf Rochester, der eben so witzig und lebenslustig als boshaft war, fand eines Tages den Mathematiker Barrow auf einem einsamen Spaziergange, und rief ihm neckend zu: „Guten Tag, Herr Doctor! Ich bin Ihr Diener bis in den Schwerpunkt der Erde!" — Und ich der Ihrige, antwortete Barrow, bis zu den Antipoden." — „Sie sollen mich nicht überbieten, rief Rochester. „Ich bin der Ihrige bis in die Hölle." — „Dort freilich kann ich nicht umhin, Ew. Herrlichkeit stehn zu lassen," sagte Barrow ernsthaft, und setzte seine Promenade weiter fort.

Zwei sehr eifrige Französische Republicaner sahen in einer Deutschen Stadt Lessings Minna von Barnhelm, und hörten mit vieler Andacht zu. Als jedoch der Glücksritter Riccault de la Marliniere erschien, fing der eine an, an einem solchen Repräsentanten seiner Nation Aergerniß zu nehmen; aber der andere beruhigte ihn, indem er sagte: laissez donc, c'est un emigré.

Graf Rochester, welchen der Englische König Carl II. in einer nachdenkenden Stellung antraf, wurde vom Monarchen gefragt: „Wor-

„über sinnt Ihr so tief nach?“ — „Ich mache „auf Ew. Majestät die Grabschrift.“ — „Wie „lautet sie?“ — „Hier ruht König Carl II., welcher in seinem Leben viel Kluges gesagt, und nie etwas Kluges gethan hat.“

Friedrich der Grosse ließ einst den Schneider L** zu sich kommen, um sich ein neues Kleid zu bestellen. Der Schneider kommt, prächtig ausgeputzt, und meldet sich beim Kammerhusaren. Dieser öffnet ihm die Thüren des königlichen Zimmers. Der Schneider stellt sich an die Thüre, bringt Manschetten und Locken noch einmal in Ordnung, nimmt Schere und Maß in die Hand, und erwartet nun den Befehl, näher zu treten. Der König arbeitete indeß am Schreibtische im Hintergrunde des Zimmers ruhig fort, und schien ihn nicht zu bemerken. Der Schneider steht eine Weile, der König achtet nicht auf ihn. Er fängt an zu husten. Der König schreibt immer fort. Der Schneider schneuzt sich, scharret mit den Füßen. Vergebens! Der

König scheint ihn gar nicht bemerken zu wollen. Endlich wird dem Schneider bange; er schleicht sich still zur Thür hinaus, und fragt den Kammerhusaren in dieser kritischen Lage um Rath. Gehen Sie nach Hause, sagte dieser, und ziehen Sie sich anständiger an, ich stehe Ihnen dafür, der König wird Sie bemerken. Der Schneider läuft, wirft sein Gallakleid ab, zieht sich wie ein ehrsamer Handwerksmann an, und eilt zurück aufs Schloß. Der Monarch sah ihn, so wie das erstemal, durchs Fenster ankommen, und ging ihm freundlich und leutselig entgegen. Der gute Mann stand nun noch ängstlicher als das erstemal da, wurde aber dreister, als ihn der König ganz herablassend anredete: „Sein „Diener, mein lieber Schneider! Nun, wie „geht's ihm? Arbeitet er fleissig?" „O ja, „Ew. Majestät." — „Geht er auch fleissig in die Kirche?" — „Alle Sonntage zweimal." — „Liest er aber auch zu Hause fleissig in der Bibel?" — „Alle Tage mein Kapitel." „Das ist gut. Nun lese er doch einmal, wenn er nach

Hause kommt, im 8. Capitel des Propheten Daniel den 8. Vers." — Freudig eilte der Schneider nach beendigtem Geschäfte zur Thüre hinaus, theilte dem Kammerhusaren die Unterredung mit, schwur, den von Sr. Majestät aufgegebenen Vers in der Bibel sogleich nachzuschlagen, ihn mit goldenen Buchstaben aufzuschreiben, und ihn Kindern und Kindeskindern als ein Zeichen der königlichen Huld zu übergeben. Der Kammerhusar hatte gerade eine Bibel zur Hand. Unser Bügelheld schlägt die Stelle nach, und findet zu seinem grossen Aerger und Hohn folgende Worte: Und der Ziegenbock ward sehr groß. Und da er aufs stärkste worden war, zerbrach er das grosse Horn.

8.

Dummheit.

Professor H. wurde wegen revolutionärer Aeusserungen in seinen Vorlesungen beim Curator der Universität von **g, Staatsrath Gorgon, verläumdet. Er ließ den Lehrer zu sich rufen: „Was lehren Sie denn eigentlich?" — Der Philosoph nannte unter andern auch empirische Psychologie, und fügte eine Erklärung bei. — „Erfahrungs-Seelenlehre," sagte der Curator „das mag ganz hübsch seyn; „aber empörerisch, empörerisch? „Herr, das unterstehen Sie sich noch „einmal!"

Der Kaufmann Faulhaber arbeitete Vormittags noch frisch und munter auf dem Comptoir. Nach dem Mittagsessen rührte ihn der Schlag, und in wenigen Minuten war er im Reiche der Schatten. Der Buchhalter, mehr Form als Kopf, eilte zu des Verblichenen Pult, und fand

mehrere von demselben am nämlichen Tage ei-
genhändig geschriebene Briefe, welche bis auf's
Adressiren und Siegeln vollendet waren. Seiner
Pflicht gemäß, glaubte er die Freunde mit des
Principals Hintritt bekannt machen zu müssen,
und setzte daher unter jeden Brief noch geschwinde
das Postscript: Auch verfehle Denensel-
ben unzuverhalten, daß ich um 2
Uhr Mittags mit Tode abgegangen
bin.

Der Prof. F. las in B. ein Collegium über
den Deutschen Stil vor einem gemischten Publicum, welches aus Damen und Herren von
den verschiedensten Ständen zusammen gesetzt
war. Nach dem Ende einer Stunde, worin er
sich sehr ausführlich über den richtigen und unrichtigen Gebrauch des Mir und Mich aus-
gelassen hatte, näherte sich ihm, als er den Catheder verließ, eine artige Jüdinn, und fragte
sehr höflich: „Sie haben uns heute zwar den
„Unterschied des Gebrauchs von mir und mich

„sehr deutlich gelehrt; aber ein Zweifel bleibt mir noch übrig." — „Und welcher?" — „Sagt man Casimir, oder Casimich?"

Der Faselochse in U.. war verblichen. „Ach!" seufzte der Bürgermeister, „wie bald „ist's doch um uns gethan. Der Herr hat Ge„walt über Lebende und Todte."

Zwei Waidmänner lauerten des Nachts auf Wildpret im Felde. Der eine feuerte auf etwas, das er für ein Stück Wild hielt. Es stürzt zu Boden. Aber ach! es war des in der Nähe wohnenden Müllers braunes zweijähriges Fohlen. Wie Marder vom Taubenschlage, schlichen die beschämten Jäger sich weg, kamen aber, um ihr Abentheuer recht schlau zu verbergen, am nächsten Morgen durch Umwege in die Mühle, fragten den Müller ganz treuherzig, ob er kein Wild verspürt, und siehe da! ein schwerer Stein fällt ihnen vom Herzen, als dieser wehklagend ihnen antwortete: Ja, leider!

ist dessen nur zu viel da; die verdammten Hirsche haben mir heute Nacht auf dem Acker mein bestes Füllen gespießt!

Geheimerath von St. bekam einen Gast zum Mittagsessen, was sonst äusserst selten geschah, und befahl seinem Bedienten, eine reine Serviette auf des Fremden Teller zu legen. Philipp behauptete in Gegenwart des Gastes, er könne den Befehl nicht vollziehen, weil keine reinen Servietten mehr vorhanden wären. — „Tölpel," sagte später sein Herr zu ihm, „hättest du nicht sagen können, sie wären bei der Wäscherinn." — Abends befahl der Herr, die silbernen Leuchter zu bringen. — „Sie sind bei der Wäscherinn," sagte Philipp.

An dem Hause des Pferdephilisters Seelig in Marburg steht über der Thüre: hier sind Pferde zu haben, und gleich dabei die Nummer 504. — „Gott bewahre" sagte ein Bauer, der selten in die Stadt kam, „wie viel Pferde müssen in Marburg seyn, wenn ein Haus deren so viele aufzuweisen hat."

Herr von Birkenfeld, ein ignoranter Edelmann, wie viele, schrieb an einen Kunsthändler zu Frankfurt: „Schicken Sie mich doch ein halb Dutzend juder blestifte, NB. Engelsche!" „Ew. Hochwohlgeboren," antwortete dieser, „erhalten auf Verlangen sechs Bleistifte, NB. Adelungische! sie schreiben von selbst orthographisch."

Der Pfarrer in Bibra trug wegen kränklicher Umstände seinem Schulmeister auf, der Gemeinde aus einer Postille eine Predigt vorzulesen. Dieser wählte, weil eben die Reihe an sie kam, eine Abschiedspredigt, die ein Pfarrer vor seiner Gemeinde gehalten hatte, als er zum Consistorialrath nach Hamburg war berufen worden. Er las also in heiliger Einfalt immer fort, und kündigte endlich beim Schluß der Rede seiner hierüber nicht wenig erstaunten Gemeinde an, daß es Gott und der Stadt Hamburg gefallen habe, ihn zum Consistorialrath und Oberpfarrer bei der St. Johanniskirche zu erwählen.

Ein Forstmeister im Hessischen berichtete der Cammer zu Homburg, er sey nun endlich auf die Spur gekommen, wie die in seinem Forste so schädliche Kieferraupe gründlich vertilgt werden könne. Denn er selbst habe sie auf den Eiern sitzen und ausbrühen gesehen. Nach seinem Finger habe sie geschnappt, wie eine Brutgans. — Wenn man nun bei Regenwetter alle Brutmütter von den Eiern jagte; so müßten diese natürlich erkalten, und so wäre man dann der Landplage auf einmal los.

Ein Paar Soldaten hatten bei einem Glas Wein allerhand beleidigende Dinge von ihrem General gesprochen. Er ließ die Schuldigen kommen, und fragte: ob sie das alles geredet hätten, was man ihm erzählt habe? — „Herr

„General,“ antwortete einer, „wir wür-
„den noch weit mehr geredet haben,
„wenn wir mehr Wein gehabt hätten.“

Ein bekannter Ornitholog versendete eine Kiste mit ausgestopften Vögeln, und verlangte von dem Maire ein Certificat d'Origine. „Sind
„aber,“ entgegnete dieser zweiflend, „die
„Waaren auch von hiesiger Fabrik?“

„Er soll reformirt werden! Ist er damit zufrieden?“ sagte ein Maire im Fulde-Departement zu einem Conscribirten, indem er denselben unter die Rubrik: reformés, eintrug. „Be-
„wahre mich der Himmel dafür,“ rief der Conscribirte, „ehe ich meinen Ca-
„tholischen Glauben abschwöre, will
„ich lieber des blassen Todes ster-
„ben.“

Ein Förster zu ......gemünd hatte drei Stück verkümmerten Wildprets, welches zur halben

Taxe verkauft zu werden pflegte, mit dem unweidmännischen Provincialausdruck: vermagert, in Rechnung gebracht. Der Revisor machte folgendes Monitum:

Dem Förster Braun wird seine Nachlässigkeit, vermagertes Wildpret zu schiessen und dann zum Schaden der fürstlichen Casse zur halben Taxe zu verkaufen, für dießmal ernstlich verwiesen, und hat derselbe künftig dergleichen Wildpret noch eine Zeitlang leben, und feist werden zu lassen, damit es zur rechten Zeit geschossen, und so zur ganzen Taxe angebracht werden könne.

„Welchen Begriff verbindet Ihr mit der „Dreieinigkeit" fragte ein Richter den Bauer Kunz, als er ihn zu einem Eide vorbereiten wollte. „Je nun," sagte dieser „sie stehen alle drei für einen Mann."

In Mitau waren eines Abends ein Paar Landleute, die zum Johannismarkte nach der

Stadt gekommen waren, im Theater, wo das Kotzebuesche Spektakelstück: Bayard, gegeben wurde. Als das Schauspiel sich seinem Ende näherte, rückte einer derselben näher zum andern, und fragte: „Ist denn die Geschichte wahr?" „Ja freilich, entgegnete dieser, sie ist ja gedruckt." — „Wo hat es sich denn zugetragen?" „Mein Gott! hast du denn nicht „den Zettel gelesen? In Jamben." — „So! so!"

Herr Ziegenbein besah einen verkäuflichen Garten, und erklärte: daß er ihn nicht breit und lang genug finde. Mit der Höhe wäre er schon zufrieden.

Bei dem Cammercollegio zu M. N. stritten die Mitglieder, aus welchem Grunde weiß man nicht, ob die Mohren schwarzes, oder rothes Blut hätten? Lange dauerte der Streit, da die anteacta gänzlich schwiegen, und sich daraus vom Mohrenblut schlechterdings nichts ergeben wollte. Endlich machte der erfahrne Director dem Unwesen ein Ende. Sein treffliches Gedächtniß kam ihm zu Hülfe. „Sie „haben rothes Blut,“ sagte er, „ich „habe zur Zeit des höchst seligen Erb„prinzen einen schwarzen Mohren „Spiesruthen laufen sehen, und „der hatte wirklich rothes Blut.“

Ein Bedienter zerbrach bei der Tafel des Rathes Paulsen eine Oelcarafine. Sein Herr befahl ihm, sogleich eine andere zu kaufen, die der noch unversehrten Essigcarafine vollkommen gleich sey. Johann ging, und brachte eine, aber von ganz verschiedener Gestalt. Natürlich wurde er mit einem Donnerwetter empfangen. Er blieb ganz kalt, und während sein Herr schimpfte, hielt er die beiden Carafinen gegeneinander, maß, betrachtete, verglich sie. „Nun, rief der Herr, siehst du jetzt nicht selbst ein, daß du ein Dummkopf bist?“ — „O ja,“ erwiederte Johann, „allein, gnädiger Herr, es ist doch

„nur Eine von den beiden Carafi-
„nen, die der andern nicht ähnlich
„sieht.“

Als Doctors W. Repetiruhr ihre Function ungesehen, aber sehr wohl hörbar verrichtete, rief Rectors Malchen laut und zur nicht geringen Verlegenheit der Gesellschaft: „Ach hören
„Sie doch, liebe Mama, der Herr
„Doctor hat ein Glockenspiel in der
„Hosentasche.“

Ein junger unwissender Cleriker bat Otto um einen Empfehlungsbrief an einen Abt, welcher eine Pfarrstelle zu vergeben hatte. Der Brief war abbrevirt, und lautete: Otto, Dei gratia, rogat vestram clementiam, ut istum clericum convertere velitis in vestrum diaconum. D. h. Otto von Gottes Gnaden bittet Eure Gnaden, dass ihr diesen Geistlichen zu eurem Diaconus machen möget. Der Abt hieß den jungen Cleriker den Brief vorlesen, und vernahm folgendes: Otto Dei gratia rogat vestram clam, ut istum clincum clancum convertere velitis in vivum diabolum. Otto von Gottes Gnaden bittet euren heimlich, daß ihr diesen clincum clancum in einen lebendigen Teufel verwandeln möget.

Der berühmte Rhode hatte einst einen seiner Freunde in einem Kniestück portraitirt. Jeder, der das Gemälde sah, erklärte es für sehr ähnlich. Zum Scherz rief man auch den alten Kutscher herbei, der für die Chaussure des Gemahlten zu sorgen pflegte, und fragte ihn, ob er erkenne, wer der Gemahlte sey? — Er besah das Gemälde lange, allein sagte endlich: „Nein!“ — Das ist ja euer Herr? Gott bewahre! Wo sind denn die Stiefeln?

Herr von Hu gab seinem Hunde den Namen Hahnrei. Einst rief er seinen Gesellschafter in Gegenwart seiner Mutter bei dem Namen. „Was hör' ich,“ rief die adeliche Dame, „schämst du dich denn nicht, deinem Hunde einen Christlichen Namen zu geben?"

Förster Dornbusch berichtete der Rentcammer zu H***, daß die Mäuse den jungen Eichenausschlag in dem vor zwei Jahren angelegten Eichelgarten gänzlich verwüstet hätten, er folglich den Eichelgarten aufs neue besäen wollte, und erhielt nachstehenden Bescheid:

Dienet zur Nachricht, und hat der Förster das beschädigte Holz klaftermäßig zu verweisen. Billig hätte man es dem Herrn Referenten, der eben bauen wollte, als Bauholz anweisen sollen.

Einige einfältige Bauern kamen zu einem Bildhauer, und bestellten einen Heiligen Franciscus. „Wollt Ihr ihn todt, oder lebendig?" fragte der Künstler. — „Je, macht ihn „nur lebendig, wenn er der Gemeine nicht ge„fällt, so kann man ihn ja immer noch todt „schlagen."

Der Doctor K. in H. verschreibt der Mutter eines kranken Kindes ein Recept, und befiehlt ihr es in drei Portionen zu geben. Am folgenden Tage besucht der Arzt den Kranken, und da er keine Arznei stehen sieht, so fragt er, ob das Tränkchen zu Ende sey. Was, erwiederte die Frau, er hat mir kein Tränkchen gegeben, sondern ein Papier. Dieß hieß er mich in drei Portionen geben, wie auch geschehen, mein Kind ist gesund, nur noch etwas matt.

9.

Delicatesse.

Der Besitzer der Löwenapotheke zu D......ch war verreist, und seine Ehehälfte wollte ihm bei seiner Zurückkunft eine Ueberraschung bereiten; sie ließ daher von einem künstlichen Weißbinder alle Büchsen renoviren. Ueber der Glasthüre stand der gewöhnliche Denkspruch: Ars longa, vita brevis. „Das beding' ich mir aber aus," sagte sie zu dem Maler, „daß er das erste häßliche Wort durch ein anderes ersetzt, bei welchem eine ehrliche Frau nicht roth werden muß, wenn sie es hört." Der Pinselmann nahm das ihm dargebotene Wörterbuch, blätterte, fand, schrieb und vergoldete. Wie erstaunte nun der Büchsenmonarch, da er bei seiner Zurückkunft las: Anus longa, vivat brevis.

Zu der glücklichen Zeit, als die Zünfte noch ihr Wesen in optima forma trieben, hielt die Fleischergilde in Zw. einen pomphaften Aufzug.

Bei der Feierlichkeit fehlte von der Hauptperson, dem Hanswursten, an gerechnet bis herunter zur kleinsten Kleinigkeit nicht das Mindeste. Am besten nahm sich ein zierlich geputzter Ochse aus, zwischen dessen Hörnern man mit goldenen Buchstaben die sinnreichen Worte las: Vivat Herr Burgemeister.

Kaiser Matthias tafelte zu Reutlingen, und wurde mit Weißbrod regalirt, während sich die Andern mit schwarzem begnügen mußten. Aus Versehen biß der dem Kaiser zur Rechten sitzende Regierende einen Mundvoll von dem Weißbrode ab, legte den Bissen aber auch sogleich pflichtschuldigst auf des Kaisers Teller nieder, und sagte: „Halten zu Gnaden, dieser Leckerbissen „gehört für Eure Majestät."

„Da könnten der hochgebietende Herr Baron „noch einen Wagen von Hochihrem Mist „hinfahren lassen" sagte eines Tags der Gärtner zu seinem adelichen Gutsherrn.

„Vergessen sie ja nicht,“ sagte ein Arzt zu einem Juden, dessen Frau er behandelte, „heute Abend der Patientinn das verordnete Lavement geben zu lassen.“ — „Aufzuwarten,“ sagte der Hebräer.

Ein Capuciner, dessen Bart nicht so ansehnlich war, als die Bärte seiner Mitbrüder, wurde deshalb von ihnen verspottet. „Danket Gott für die edle buschige Zier eurer Kinnbacken,“ sagte der gestrenge Pater Guardian; „aber spottet nicht eures ärmern Mitbruders. Freilich ist sein Bart vor Menschen schwach, aber wer weiß, welch einen herrlichen Bart er einst vor Gott tragen wird!“

Das Fräulein von F. fragte ihre Gouvernante: ma Bonne, warum sind die heiligen Engel denn Geschlechtslos? — Damit sie die heiligen Engel bleiben, war die Antwort.

Bei den Jagdpartieen Ludwigs XV. wurden immer 50 Flaschen Burgunder mitgenommen. Der König pflegte selten zu trinken; die übrigen Jäger liessen sich daher den Wein immer im Voraus trefflich schmecken. Einst aber begehrte Ludwig zu trinken; und die Flaschen waren schon leer. Man zitterte; doch ganz gelassen sagte der König: „Nehmet künftig lieber Ein und funfzig Flaschen mit, damit ich im Nothfall doch auch einmal trinken kann.“

In Irland fieng man vor einigen Jahren einen berüchtigten Strassenräuber. Der Hauptmann der ganzen Bande saß bereits im Gefängniß. Der Richter confrontirte beide, und fragte den letztern: „gehört dieser zu deiner Bande?“ — „Ja,“ antwortete der Hauptmann gelassen, „aber ich glaube, er war nur Ehrenmitglied.“

Betty sagte in einer Gesellschaft zu einem alten Obersten: „Alter Krieger, führe Betty nach Hause.“ „Das wird der alte Krieger wohl bleiben lassen,“ war die kurze Antwort des Obersten.

Diogenes befand sich einst in einem prächtigen Palaste, und spie dem Sklaven, der ihm diese Herrlichkeiten zeigte, geradezu ins Gesicht, indem er dabei sagte: Ich sehe hier keinen schmutzigern Ort, wo ich hinspucken könnte.

Abschrift einer Tischler-Rechnung (nach dem Original getreu copirt):

Nota.

Haben einen Sarg gemacht* für Ihro des Herrn Capitain D. Wensel, welches mir von Herzen leid thut, der liebe Gott verleihe Ihm eine fröhliche Auferstehung und wenn Gott der Herr rufen wird, stehet auf ihr Todten und kommt vor Gottes Thron, so ist für den Todtensarg, sage .... fl. 8.

Barwill erzählt, daß Baretti, da ein gewisser Lord in seiner Gegenwart bedauerte, daß Johnson keine feine Erziehung gehabt hätte, soll gesagt haben: „Nein, nein, Mylord. Sie hätten mit ihm machen mögen, was sie gewollt, er wäre immer ein Bär geblieben.“ Doch wohl ein Tanzbär, sagte der Andere, welches ein Dritter, sein Freund, dadurch zu mildern vermeinte, daß er sagte: „Er hat nichts vom Bären, als das Fell.“

In F** hatte ein gewisser N. N. am Galgen seine Laufbahn geendigt. Nach hundert Jahren verlangten die Nachkommen des Gehenkten von dem Prediger des Orts, an welchem ihr Vorfahre war hingerichtet worden, einen Todtenschein. Der Prediger wollte die Todesart des Ahnherrn nicht gern mit dürren

Worten anzeigen, weil die Familie, die den Schein verlangte, in Ansehen stand, und schrieb daher Folgendes: Ich bescheinige hiemit, daß N. N. hieselbst im Jahre 1697 selig verstorben ist; nur muß ich bemerken, daß er gegen das Ende ein wenig gezappelt hat.

10.

Sitten.

Ein Reisender ließ sich in G...... den Bart herunter nehmen. Der Raseur war unsauber genug, in das Becken zu speien, und so den Schaum zur Hälfte aus eigenen Mitteln zu bereiten. „Er ist ein Schweinigel," sagte der Fremde. — „Undank ist der Welt Lohn," erwiederte der Befragte, „ich glaube Wunder „wie vornehm ich Sie behandle; gemei„nen Leuten speie ich geradezu ins „Gesicht."

Pitt, ein grosser Verehrer der wahren Zeit und des alten Stils der gesunden Vernunft, wo es einem Minister möglich ist, ihn beizubehalten, wurde von der Herzoginn von D** auf zehn Uhr Abends zum Mittagessen eingeladen. Der Minister ließ bedauern, daß er die Gnade dießmal nicht haben könnte aufzuwarten, weil er an demselben Tage um 9 Uhr schon zu einem Abendessen engagirt sey.

In England betraten zu Carls II. Zeiten nur Männer die Bühne; damals galt es noch für unanständig, wenn Frauenzimmer öffentlich von Liebe sprachen. Der König, ein grosser Verehrer der Kunst, pflegte jedesmal sehr früh in das Theater zu kommen. Eines Abends verzog sich der Anfang ungewöhnlich lange. Carl ließ dem Directeur befehlen, man solle anfangen; dieser kannte jedoch den Frohsinn des Monarchen, und antwortete: „Er bäte unterthänigst noch um Aufschub von fünf Minuten; „seine Prinzessinn hätte noch nicht „Zeit gehabt, sich rasiren zu lassen.“

Bei dem Casino zu Hannover in Pensilvanien schreibt der 6. Artikel der Gesetze vor, daß kein Herr in den Tanzsaal ohne Beinkleider kommen, und auch nicht ohne Rock tanzen dürfe.

In Haiti, so erzählt ein einsichtsvoller Reisender, soll man es in der Galgenarchitectur um vieles weiter gebracht haben, als in der alten Welt. So hatte z. B. König Jacob I., als er dem Volke ein Fest gab, und einen seiner Staatsräthe das Zeitliche mit dem Ewigen gegen seinen Willen vertauschen ließ, einen Galgen von besonderer Höhe aufrichten lassen. Er beobachtete selbst hierbei den Unterschied der Stände, um jedem Mann von Distinction und Ehrgefühl seinen letzten Schritt auf die erhöhende Leiter zu erleichtern, den Pöbel nur läßt man dort an niedrigen Kniegalgen verscheiden.

Zur Zeit des siebenjährigen Krieges lebte in ....u ein Spaßmacher. Sein nächster Nachbar war ein Barbier. Als nun, durch Mißverständniß, einst ein französischer Officier in des ersten Haus kam, um seines Bartes entledigt zu werden, hieß Hr. Sch. ihn niedersetzen, und seifte ihn auf kunstgerechte Weise ein, dann aber

sprach er zu ihm: „Sie beliehen sich nun in das
„nächste Haus zu verfügen, mein Herr, ich
„seife die Kunden ein, und mein Compagnon,
„der nur Ein Haus weiter wohnt, hat das Ra-
„siren über sich genommen.“

11.

Vorsicht.

Während eines heftigen Sturmes, der jeden Augenblick Untergang und Verderben drohte, saß ein Matrose sehr gemüthlich in der Cajüte, und speiste einige Häringe, indessen das übrige Schiffsvolk mit Arbeiten und Beten beschäftigt war. „Wie „kannst du jetzt nur ans Essen denken?“ fragte der Capitain den Speisenden. — „Ich denke, „wir werden bald ungewöhnlich viel „trinken müssen,“ sagte dieser, - „und „da nehme ich etwas Gesalzenes zu „mir, der Trunk schmeckt besser „darauf.“

Bei einem Aufzuge, den die Schneidergilde vor ungefähr zwölf Jahren in Marburg hielt, suchten die Vorsteher um die Vergünstigung nach, bei der Feierlichkeit zur Verherrlichung des Ganzen sich mit Degen schmücken zu dürfen. Der Hofrath T—n, als damaliger Prorector, ertheilte die Erlaubniß, jedoch unter der ausdrücklichen Bedingung, daß die Degen auf der rechten Seite angeschnallt werden müßten.

Der Todesengel schwang seine Sichel über dem Haupte des armen A. Er fühlte sein herannahendes Ende, berief seine Gattin zu sich, und sprach: Du kannst nun immerhin dem Bewußten die Hand reichen; er ist wohlhabend, und dir diese Entschädigung für den Verlust deines Rufes schuldig. — Dem Bewußten? fragte Elise seufzend, welchen meinst du denn, mein Engel?

In der Schenke zu Deutschbachheim kam es zwischen den Protestanten und Catholiken über Religionsgegenstände sehr oft zu Schlägereien. Da befahl der Edelmann des Dorfes, daß beide Partheien künftig nie mehr von Gott reden sollten, weder Böses, noch Gutes.

Ein Tischler sagte auf dem Todbette zu seiner Frau, daß sie nach seinem Tode den Gesellen heurathen sollte, da er bisher treu und fleißig gewesen sey, und diese Eigenschaften Leuten von seinem Fach eigen seyn müßten. „Ja, lieber Mann,“ erwiederte die schluchzende Ehehälfte, „ich habe schon früher oft daran gedacht.“

Herr F. schrieb einem seiner Freunde, daß ungeachtet der Hoffnungen des Arztes und seiner heissesten Wünsche das Schicksal ihn in der siebenten Stunde zum trostlosen Wittwer gemacht habe. Er schloß den Brief mit dem Postscript: „Habe die Güte, mir durch den Ueberbringer dieses deinen Trauerdegen und das Rezept zu dem kalten Punsch zu senden, der uns am Himmelsfahrtstage das Herz stärkte.“

Der reiche Lord N., welcher von den Reizen einer Schauspielerinn bezaubert war, hörte, daß sie einen im seltenen Grade eingezogenen Wandel führe, und bis jetzt alle Anträge abgewiesen habe. Er schrieb ihr: „Mademoiselle! Man hat mir gesagt, daß Sie sehr tugendhaft sind, und den festen Willen haben, es immer zu bleiben.

Damit Sie diesen Vorsatz desto leichter ausführen können, setze ich Ihnen durch die beiliegende Schrift monatlich 50 Guineen aus; sollte Ihnen aber Ihre Laune einmal vergehen, so bitte ich Sie, mir den Vorzug zu geben, und zahle Ihnen von dem Augenblick an, jeden Monat 100 Guineen."

Als die Schwedische Königinn Christine in Paris war, wurden die Fächer Mode. Einige ihrer Hofdamen baten um Erlaubniß, sie auch tragen zu dürfen? „Ich dächte nicht," antwortete die Königinn, „ihr seyd ja ohnedieß schon aufgeblasen genug."

Zu einem Rechtsgelehrten kam ein Bauer in Proceßangelegenheiten. Nachdem der Advocat die Sache sich hatte erzählen lassen, sagte er, daß er sie gut fände. Der Bauer bezahlte dem Anwald seine Mühe, und fragte ihn sodann: „Mein „Herr, nun da ich Euch bezahlt habe, so sagt „mir aufrichtig, ist meine Sache noch gut."

12.

Erwerbsamkeit.

Ein Advocat, welcher einen Ehescheidungkproceß führte, schrieb in die Rechnung: „Item, daß „ich zweimal mich um Mitternacht aufweckte, und „auf neue Beweisgründe sann ..... fl. 1. 36 kr.

Ein junger Mensch mit einer kostbaren und überaus kunstreich gestickten Weste kam zu einem Maler, und wollte sich malen lassen. „Wie viel soll ich Ihnen für das Portrait zahlen?“ — „Sechs Louisd'or.“ — „Nein, das ist mir zu viel,“ und damit ging der junge Herr zur Thüre hinaus. Der Maler wollte den neuen Kunden doch nicht gern fahren lassen, und rief ihn also zurück. „Apropos — wollen Sie sich denn in der Weste malen lassen, die Sie jetzt anhaben?“ „Ja freilich.“ — „Es ist Ihnen aber wohl einerlei, ob ich die Weste hinten falsch mache, oder nicht?“ — „Ganz einerlei.“ „Nun wenn das ist, so kann ich Sie auch für vier Louisd'or malen.“

Der Schreinermeister Hobelstoß in F. kündigte neulich in dem dasigen Wochenblättchen an, daß bei ihm stets fertige Särge mit und ohne Verzierung vorräthig, und von dem verschiedensten Maße zu haben seyen. Er hoffe das Publikum durch diese Nachricht zu verbinden, und rechne auf geneigten Zuspruch.

Bei einem Spaziergange sah Fürst Leopold I. auf der Saalbrücke zu Bernburg einen Gassenjungen mit einer ungesäuberten Nase. „Junge, wisch dir die Nase!" rief er ihm zu. „Ich habe kein Tuch," erwiederte dieser. Leopold griff in die Tasche, und gab ihm mit den Worten: „da, kauf dir eins!" einen Gulden. Am folgenden Tage ging der Fürst wieder über die Brücke, und eine Menge Strassenjungen mit ungeschneuzten Nasen standen da, alle in der Hoffnung, ebenfalls einen Gulden zu erhalten; aber der Fürst ging lächelnd vorüber.

Bei dem Einzuge der Braut des Prinzen W. in B. wieß ein junger Grenadier, welcher am Schloßthore Schildwache stand, mehrere Damen wiederholt zurück. Plötzlich nahm der Soldat, als er die Schönen abermals auf der verbotenen Stelle fand, die Reizendste bei'm Kopf, und küßte sie nach Herzenslust. Der Officier war in der Wache, ihr Hülfsgeschrei und das schadenfrohe Gelächter der Zuschauer zog ihn herbei. „Mensch, bist du toll?" rief er dem Freimüthigen zu. „Nichts desto weniger," erwiederte dieser, „aber wer nicht hören will, „der muß fühlen."

Ein Seefahrer hörte in einer Gesellschaft dem Streite zu, welchen einige Gelehrte über den Rang unter sich, nach ihren Facultäten, führten. Er entschied ihn auf seine Art, nämlich, wie viel ihm wohl ein Mensch, den er gecapert hätte, beim Verkauf auf dem Markt in Algier einbringen würde. Den Theologen und Juristen kann dort kein Mensch brauchen; aber der Arzt versteht ein Handwerk, und kann für baar gelten.

Der Amtmann Z—r war mit einem seiner Freunde auf der Reise von Fuld nach Frankfurt begriffen. Sie kamen des Abends im Gasthause zum dürren Baume in Gelnhausen an. Es war gerade Meßzeit, und die meisten Stuben bereits mit Fremden besetzt. Man führte die Ankommenden drei Treppen hoch über einen langen Gang zu einem kleinen Kämmerlein. Z—r, der die Gemächlichkeit liebte, und das Zusammenschlafen, zumal mit Freunden, sehr haßte, seufzte tief bei dem Anblicke des einzigen Bettes, welches noch obendrein schmal war. Indessen war sein Plan bald gemacht. Er kannte die Neugierde und die Furchtsamkeit als hervorstechende Eigenschaften seines Begleiters. Kaum hatte daher der zudringliche Hausknecht die Fremden verlassen, als er halb laut sagte: so bin ich denn wieder in dieser Unglücksstube! — Sein Zweck war erreicht, denn der

Reisegefährte bestürmte ihn mit Bitten und Fragen, und nun erzählte unser Freund wie folgt: „Hier in dieses Zimmer wurde ich geführt, „als ich vor 20 Jahren von Jena zurückkam; „sehr ermüdet, wie ich war, sank ich sofort dem „Schlaf in die Arme. Ungefähr eine halbe „Stunde nachher wurde ich durch ein lebhaftes „Geräusch und anhaltendes Kettengerassel auf- „geweckt. Die Thüre öffnete sich, es schwebte „eine lange weisse Gestalt herein, winkte mir „mit der Hand, ich folgte ihr, und wir gin- „gen im langsamen Schritte über den Gang. „Ich hatte Besonnenheit genug, zuerst mit mei- „nen Pantoffeln und dann auch mit dem Hemde „den Weg, welchen wir gingen, zu bezeichnen, „damit ich den Rückweg wieder finden könnte. „Aber nun blieb mir, da wir noch immer nicht „am Ziele waren, nichts übrig, als zu dem „einzigen zu schreiten, welches man, im Stande „der Natur, als Merkmal noch zu hinterlassen „vermag. In dem Augenblicke der Operation" — „Nun" — rief der Reisegefährte, dessen Neu-

„gierde auf's höchste gespannt war. — „In
„dem Augenblicke," fuhr Hr. Z—r fort, „hörte
„ich einen heftigen Knall, ich erwachte aus mei-
„nem Traume, und fand leider, daß mir ein
„Unglück wiederfahren war, welches eine so
„lebhafte Reminiscenz an die seligen Tage mei-
„ner Knabenzeit in mir erweckte, daß ich fast
„jede Nacht einen Rückfall bekomme." — Kein
Wunder, daß er durch diese List seinen Zweck
des Alleinschlafens erreichte.

13.

Oekonomie.

Der Obrist v. F., durch seine Oekonomie zur Genüge bekannt, besuchte einen Freund an einem Winterabend. Nachdem sie beiderseits ihre Pfeifen angezündet hatten, löschte dieser das Licht aus, weil er behauptete, daß man bei den gegenwärtigen schlechten Zeiten auch im Dunkeln plaudern könne, und freute sich heimlich, daß er seinen Freund an Sparsamkeit noch überträfe. Aber wie staunte er, als späterhin ein Licht gebracht wurde, und er sahe, daß der Oberste, um den Manchester seiner Beinkleider zu schonen, diese heruntergezogen hatte, und im Stande der Natur da saß.

Am Hofe eines kleinen Fürsten war ein Trompeter, der dieses Amt auch zugleich bei der Leibescadron der Husaren verwaltete. Er erhielt von seinem Vetter, dem Leibbüchsenspanner, eine Zuschrift unter folgender Adresse:

An den Herrn Hof-, Trom- wie auch Husarenpeter.

Ein in das Gasthaus zum *** in F... a...M. tretender Fremder sagte zu der mit einiger Schwierigkeit hörenden Schwester des Gastwirths, indem er seinen Mund mit ihrem Ohr in Berührung brachte: „Es ist heute schlechtes „Wetter." — „Besser schlechtes, als gar kein „Wetter," entgegnete die Taube.

Ein Geistlicher, der weder lesen, noch schreiben konnte, pflegte statt der Messe das Alphabet herzubeten. Einst fragte man ihn, wie er die Messe lese. Ich recitire jedesmal das Alphabet, und bringe diese Buchstaben Gott zum Opfer dar, daß er sich daraus nach Gefallen eine Messe zusammensetzen möge.

Eine Mutter hatte, um die Rückkehr ihres Sohnes von der Universität auch von ihrer Seite zu verherrlichen, zum Abendessen drei Eier aufgetragen. Der Mann schalt, der Sohn vertheidigte die Mutter, und behauptete, es befänden sich wirklich 6 Eier in der Schüssel; denn 1, 2 und 3 machten ja 6 aus. Ich freue mich sehr, sagte der Vater, daß ich mein Geld nicht unnütz angewendet habe; doch, da ich der erste im Hause bin, so nehme ich zwei Eier, die Mutter das dritte, die übrigen drei magst du für dich behalten.

Marksauger, ein steinreicher Jüdischer Proceßkrämer, sagte zu seinem Anwald, als dieser ihn mit der Kunde eines gewonnenen Rechtsstreites erfreute: „Auf meine Dankbarkeit kön„nen Sie zählen, und — nun, ich weiß schon — „die Herrcher sind auch Menschen, Ihre Casse „hat zuweilen Defecte, kommen Sie dann nur „zu mir, zu Ihrem Freund." — Der Anwald nahm sich dieß ad notam, und suchte nicht lange darauf seinen Gönner in der bewußten Angelegenheit heim. Der Jude, nachdem der passus concernens vorgebracht war, sank auf einen Stuhl nieder, und schrie, indem er einen heftigen

Gichtschmerz affectirte: „O wai! Oi was 'n Stich! Oi was 'n Schmärz!“ indem er sich das Bein strich. Der Advocat brachte sein Gesuch noch einigemal vor, aber der Jude schrie anhaltend und so lange, bis jener ihn voll Zornes verließ.

Marcus Löb aus L** kam auf seiner Reise auch nach Berlin, und besuchte das deutsche Schauspiel. Darauf ging er zum Abendessen zu einem der reichsten Jüdischen Banquiers, von dem er dazu war eingeladen worden. — „Warum so spät?“ fragte ihn der Banquier. — „Ich bin erst im Schauspiel gewesen.“ — „Wie hat es Ihnen gefallen?“ — „Ganz „und gar nicht; ich habe die schrecklichste Lan„geweile gehabt.“ — „Warum sind Sie denn „nicht herausgegangen, und früher zu mir ge„kommen?“ — „Ja, das können Sie wohl „thun, Sie sind ein reicher Mann; aber unser „eins kann seinen halben Thaler nicht so weg„werfen.“

14.

Edle Einfalt.

„Zuckerbäcker will ich werden," sprach Cantors Friz, als man ihn fragte, welchen Stand er sich gewählt hätte. — „Warum?" „Um dem Papa das Alter zu versüssen," war die Antwort des hochherzigen Knaben.

Ludwig der 14. fragte nach seiner Rückkehr aus dem sehr glorreichen Feldzuge in Flandern einen kleinen Prinzen seines Hauses, wie es mit dem Lernen ginge? „Ach, Sire, „erwiederte der Knabe, daraus ist nicht viel „geworden." — „Wie so?" — „So oft „Ew. Majestät einen Sieg erfochten, gab man „mir Feiertage, wie hätte ich weit kommen „sollen?"

Der Fürst von *** ertheilte dem Obersten T. den Orden pour la vertu. Adolph, der kleine Sohn des Obersten, saß in einem Winkel, und blätterte in dem bekannten Orbis pictus.

Auf einmal rief er in aller Unschuld: „Liebe „Mama, da steht etwas von einem Hahnrei„orden, hat der Papa den auch bekommen?“

Man fragte einen Knaben, was er zu werden Lust habe? — „Ich will ein Junge „bleiben,“ war die Antwort.

König Jacob I. von England wurde von der Amme, die ihn gesäugt hatte, gebeten, er möchte doch ihren Sohn zum Gentelman (feinen Mann) machen. Jacob antwortete: das kann ich nicht; zum Grafen kann ich ihn wohl erheben, aber zum Gentelman muß er sich selbst machen.

Ein junger Advocat in M. wollte nach dem Tode seiner Frau nicht wieder heurathen, und hatte sich deßhalb eine Haushälterinn zugelegt. Nach Tische hielt er gewöhnlich bei verschlossenen Thüren Mittagsruhe. Einst wollte ein Freund ihn besuchen, und fragte die kleine Tochter, ob der Vater zu Hause wäre. „Ja, er ist oben,“ sagte sie, „und hält Nachmittagspraxis.“

Man zeigte einem Bauer alles, was ein gewisser feindlicher General erobert und weggenommen hatte. Die Städte, die Ländereien, alles war auf einem grossen Gemälde zusammengestellt: „Ei, das ist noch lange nicht alles,“ sagte der Bauer, „denn ich sehe ja meine „Wiese nicht darauf.“

Ein Mann pflegte seine Frau gewöhnlich vor Tische zu prügeln. Einst als sie Gäste hatten, und eben zur Tafel gehen wollten, stellte sie sich vor ihn, und fragte: „Schlagen wir uns vor oder nach Tische?“ Der Mann beschämt stellte diese Liebesbewegung in der Folge ein.

Ein Knabe fiel durch eine Oeffnung hinab, welche gewöhnlich nur zum Daraufsitzen bestimmt ist, und betete während des Falls mit lauter Stimme: „Komm, Herr Jesu, sey unser Gast!“

Ein aus einer Privaterziehungsanstalt auf das Gymnasium zu D....d aufgenommener Knabe brachte ein zerrissenes Exemplar von Gedikes lateinischen Lesebuch mit in die Schulstunden. Auf des Lehrers Frage, wo er dieß gelernt habe, antwortete nach langem Schweigen der Knabe: „Beim Herrn Magister Schneider."

Mamsel Dorothea, Haushälterinn des Caplan König zu E. in Th., hatte von der Gemeinde zehn junge Gänse mit der Mutter als Zehnden erhalten, und reichte ihnen Futter, wie es ihr war gesagt worden. Des andern Tags fand sie die Jungen fast alle todt. Voll Schrecken eilt sie zur Nachbarinn, und klagt dieser ihr Unglück. Die Theilnehmende fragt nach verschiedenen Umständen, endlich auch, ob sie den jungen Wasser zu saufen gegeben habe. Nein, erwiederte treuherzig die Haushälterinn, ich dachte, sie tränken an der Alten.

Auf einer Schule in S. hielten es noch vor kurzer Zeit die Lehrer unter ihrer Würde, die Schüler mit Sie anzureden, sondern sprachen zu ihnen per Ihr, oder Er. Das zuvorkommende Betragen des Curators gegen die Schüler machte sie indeß aufmerksam auf diese mit den jetzigen geselligen Verhältnissen nicht mehr passende Anrede, und sie beschlossen einstimmig, das jetzt allgemein angenommene Sie auch in der Schule einzuführen. Es geschah, und der eine von den Lehrern meldete sogar vor der Lection den Schülern diese herablassende Höflichkeit. Doch suchten einige noch immerfort halsstarrig dem Sie auszuweichen. Nicht lange darauf kam ein Schüler, Namens Schnitzer, zu dem Conrector Schr..., an den er empfohlen war, und wollte sich zur Bestreitung seiner Bedürfnisse Geld holen. Der Scholar war etwas leichtsinnig, und der Lehrer hielt ihm mehrere nicht leicht zu entschuldigende Streiche vor; zuletzt schloß er mit den Worten: Schnitzer, wir wollen uns hüten, solche dumme Streiche zu machen. „Ja, erwiederte nach einigen Seufzern der Schüler, wir haben einen dummen Streich gemacht."

In H. wurde im Januar ein durch mancherlei Curen sich bekannt gemachter Arzt zu einer Kranken gerufen. Nach geschehenem Examen schrieb er ein Recept, und verbot ihr den Genuß von Obst. „Aber Kirschen darf ich doch essen," fragte die Kranke. „Ja, erwiederte der Doctor, doch bei Leibe keine frischen."

Ein Pfarrer auf einem benachbarten Dorfe bei H., der seinen Catechismus wohl besser kannte, als seine ehemaligen Kirchenpatrone aus dem Mittelalter, und das Ritterwesen, übergab bei dem Kirchenrathe eine Vorstellung, worin er bat, daß man die alten Statüen aus der Kirche möge wegnehmen lassen, weil die liebe christliche Gemeinde an den allzugrossen Hosenknöpfen ein Aergerniß nähme. Ja, er hatte schon Anstalt getroffen, die Protuberanzen an den Rüstungen, welche er für Hosenknöpfe in heiliger Einfalt angesehn hatte, abzuschlagen.. Allein eine Weisung des Kirchenraths verhinderte die Ausführung, und die Ritterbilder, welche mehrere von den Stiftern dieser Kirche vorstellten, blieben unversehrt und an ihrer Stelle.

15.

Mißverständnisse.

Nach dem erfochtenen glorreichen Siege bei Hammelburg wurde ein allgemeines Sieg- und Dankfest im ganzen Lande verordnet. Pastor Muff erbaute seine andächtige Gemeinde, sprach viel von dem Gotte der Heerscharen ꝛc. Im heiligen Eifer vergaß sich aber der ehrwürdige Herr so sehr, daß er mit beiden Händen auf die Canzel schlug, um den Trommelschall zu versinnlichen. Da sprang pflichtschuldigst das Küsterlein auf, und trompetete laut, zum grossen Erstaunen des Redners, daß dieser ihm sogleich einen öffentlichen Verweiß zu Theil werden ließ. „Verzeihen Ew. Hochwürden," vertheidigte sich der Schwarzrock, „ich glaubte, die Infanterie würde nicht zureichen, und „ließ deßhalb auch die Cavallerie „vorrücken."

Ein schlichter Landmann, dem die Mutter Natur etwas stiefmütterlich bei Vertheilung der

Geistesgaben bedacht hatte, schlenderte zum Frankfurterthore in Cassel hinein, und vertraute der Schildwache, welche den Provinzialen sogleich für eine gute Prise erklärte, seine Absicht ein Paar lederne Beinkleider zu kaufen. „Ich weiß Euch Rath,“ sagte der Grenadier, „einer meiner Bekannten hat ein Paar Staats„hosen, und gibt sie um das halbe Geld, aber „ich fürchte, sie sind zu weit für Euch.“ — „Zu „weit,“ erwiederte Michel, „ei das thut nichts, „ich lasse sie enger machen.“ — „Ja da habt „Ihr Recht, daran dachte ich nicht, es geht „doch nichts über gescheute Leute.“ Als der Schnurrbart abgelöst war, wurde die Hosenwanderung angetreten. Auf dem Wege kehrte man in einem Wirthshause ein, ließ es sich wohl schmecken, und der Landmann zahlte die Zeche. Endlich sagte dieser zu seinem Begleiter: „Nun! und meine Hosen?“ — „Ja,“ erwiederte der Bärtige, „ich sagte es Euch ja, sie „haben einen Hauptfehler, sie sind zu weit, „denn sie gehören einem meiner Cameraden,

„der desertirt ist, und jetzt zu Wien in Garni„son liegt.“

Eine Dame in Frankfurt schickte ihre Zofe zu dem seligen Buchhändler Br.... mit dem mündlichen Auftrag, ihr Meiers kurzen jedoch gründlichen Unterricht in der Kochkunst mitzubringen. Das Mädchen kam unverrichteter Sache zurück, denn sie hatte von dem Buchhändler schlechtweg den Kurzen Jedoch verlangt, und aus natürlichen Gründen nicht erhalten können.

Unter den Linden zu Berlin sah an einem Sonntage ein Herrnhuter zu seinem nicht geringen Leidwesen, wie man ein Fest feiere, das, seinem religiösen Glauben zu Folge, auf eine ganz andere Weise begangen werden mußte. Des Mannes heiliger Eifer gewann endlich Worte, und er sagte zu einem Fleischerknechte, der in seiner Nähe stand: „Wandle er nicht auf dem Wege „der Gottlosen, mein Freund, denn selig ist,

„wer seine Zeit in den Wunden des geschlachte„ten Lammes verbringt.“ — „Ach! ich bin erst „gestern im Lamm gewesen,“ entgegnete in seiner Unschuld das Weltkind, „aber sie haben „dort sauer Bier.“

Der Pastor Allenstädt zu Hassenhausen hatte dem Förster Herzogenrath zu Saaleck eine alte Postille von Mell geliehen, welche überschrieben war: „Posaune der Ewigkeit.“ Der Förster behielt, mehrfacher Anforderung ungeachtet, diesen Seelenschatz einige Jahre zurück. Der geistliche Seelenhirt ließ endlich die himmlische Posaune ungestüm zurückfordern. Der Förster, der gar nicht mehr an seine Verbindlichkeit dachte, sagte ganz treuherzig zu dem Dienstboten: Sage er dem Herrn Magister, ich hätte keine Posaune, wenn ihm aber ein Hifthorn von Nöthen sey, so stehe ich ihm damit herzlich gern zu Dienste.

Es kam jemand zu einem Kupferstecher, der vor wenigen Stunden gestorben war, und brachte eine Arbeit. — „Ja," sagte weinend des Verblichenen Ehehälfte, „es hat sich ausge„stochen, mein Mann ist gestorben."

„Mein Liebling ist das Jelänger jelieber," sprach ein Landgeistlicher zu dem Schulzen, den er im Pfarrgarten herumführte. Der alte Treuherz entgegnete: „das spürt man an Ihren „Predigten."

„Sie sind ein interessanter „Mann," schrie Lieutenant Fibouge im Aufwallen des höchsten Zornes, als Licentiat L. beim Kartenspiel sich eine Glückscorrection erlaubte. „Nein," rief dieser, „Sie Herr! Sie sind interessant!" — „Wozu der Streit?" entgegnete der anwesende launige Doctor G., „die Sache ist ganz klar; „interessant ist keiner von Euch, „aber interessirt seyd Ihr beide."

Ein Landpriester stellte ein Paar Eheleuten, die sich nicht gut zusammen vertrugen, das Unanständige und Sündliche ihrer Zänkereien vor, und ermahnte sie zur Eintracht, da sie doch in den Augen Gottes und der Welt nur Eins wären. — „Nur Eins?" schrie der Mann; „wahrhaftig! Sie sollten nur einmal des Nachts „vor unsere Thür kommen, sie würden schwören, es wären unserer zwanzig."

Als Garnerin, der kühne Luftsegler, in Frankfurt am Main der staunenden Menge das merkwürdige Schauspiel seiner Kunst zeigte, war der Circus mit Bürgerwache umgeben. Garnerin wurde durch ein Geschäft kurz vor der Luftfahrt noch einmal abgerufen. Als er wieder in den Kreis und zum Ballon treten wollte, ließ ihn die Wache nicht passiren. „Mais je suis Garnerin," sagte er, um sich Eingang zu verschaffen. „Nichts da," erwiederte der Schulternde, „ich glaube es ihm wohl, daß er gerne „herein möchte."

Als der Pfarrer Fulda im Wirtembergischen sein sogenanntes Wurzellexicon (Sammlung und Abstammung Germanischer Wurzelwörter, Halle 1776. 4.) ankündigte, hatte unter den Pränumeranten sich auch ein Förster eingefunden. Wie staunte er, als das Buch von ganz andern Wurzeln handelte, als er erwartet hatte. Er schwur, nie mehr auf Wurzellexica zu pränumeriren.

Dem bekannten Professor H...... zu Altdorf war vor einigen Jahren die Censur der dort erscheinenden Flugschriften übertragen. Eines Tags meldete sich ein Student bei ihm, und übergab ein kleines Gedicht, um sein Vidi zu erhalten. Nachdem der Professor dasselbe beinahe ganz durchgelesen hatte, stieß er am Schlusse auf die Worte: „Mara's Silberton." Er hielt eine Zeitlang inne. „Ach, sagte er endlich, indem er lächelnd den Kopf schüttelte, das ist ein Schreibfehler! Mara's Silberton. Maro's, Maro's, Publius Virgilius

Maro," strich das a aus, und setzte das o an dessen Stelle.

Der Schulvorsteher fragte den Sohn eines Speisewirths beim Schulexamen: Was wird heute tractirt? Erschrocken antwortete der Knabe: Ich war heute noch nicht bei meiner Mutter in der Küche, gestern hatten wir Sauerkraut und Schweinefleisch.

Ein Bauer wollte den Doctor St.....z in Leipzig, einen sehr langen hagern Mann, besuchen, um sich dessen ärztlichen Rath für sein krankes Weib zu erbitten. Er klopfte drei oder viermal an, und steckte, da Niemand antwortete, den Kopf zur Stubenthüre hinein, fuhr aber erschrocken zurück, als er ein Scelett erblickte. Nachmittags stand der Arzt vor seinem Hause, da der Bauer vorbeiging. Die Magd sagte ihrem Herrn, dieses sey der Patient, der ihn heute aufgesucht habe. St.....z rief ihm zu. — „Bleibt mir drei Schritte vom Leibe," platzte der Mann heraus, „ich habe Euch heute „Morgen gesehen, da Ihr noch nicht angezogen „waret, und da ist mir alle Lust vergangen.“

Der Fürst von L** ließ an einem Festtage dem Pöbel den Eintritt in den Park versagen. Der Hofmarschall, um dem Grenadier, welcher die Wache an dem Schloßthore hatte, ganz au fait zu setzen, sagte ihm: „Enfin, Durchlaucht wollen heute durchaus nur schöne Leute im Park sehen.“ — „Sehr wohl.“ — Nicht lange nachher kam die Oberhofmeisterinn, ein kurzes rundes Wesen, mit sehr unebnem Antlitz, stark geschminkt, mit einem Worte von solcher Art, daß der Schnurbart sie für Contrebande hielt. „Zurück da!“ rief er. — „Aber ich bin die „Frau von *.“ — „Und wenn sie der Teufel „selbst ist. Zurück, sage ich. Sie mit ihrem „garstigen Gesicht darf nun schlechterdings „nicht hinein.“

Bei der Gräfinn von K—g, einer Dame, welche die Zierde ihres Geschlechts war, hatte der Graf Sagramosa, der damals die Einrichtung des Maltheserritterordens in Polen zu besorgen den Auftrag hatte, einen Besuch gemacht. Zufälligerweise traf er mit einem aus Königsberg gebürtigen, aber in Hamburg für die Liebhaberei einiger reichen Kaufleute zum Naturaliensammler und Aufseher dieser ihrer Cabinette angenommenen Magister zusammen, der seine Verwandten in Preussen besuchte. Der Graf, um doch etwas mit ihm zu reden, sagte im gebrochenen Deutsch: „ick abe in Amburg eine Ant geabt (ich habe in Hamburg eine Tante gehabt), aber die ist mir gestorben.“ Flugs ergriff der Magister das Wort, und fragte: „warum liessen Sie sie nicht abziehen, und ausstopfen?“. Er nahm das Englische Wort Ant, welches Tante bedeutet, für Ente, und weil er gleich darauf fiel, sie müsse sehr rar gewesen seyn, so bedauerte er den grossen Schaden.

Im vorigen Feldzuge lag in einem Dorfe im ***schen eine Compagnie Soldaten zur größten Last der Einwohner. An einem Sonntage äusserte der Pfarrer von der Canzel herunter den Wunsch, daß es doch Gott gefallen möge, einen baldigen Frieden zu bescheren, oder wenigstens der Soldaten Gebet zu erhören. Nach der Kirche ließ ihn der Hauptmann zum Essen einladen, und fragte ihn, was er unter dem Soldatengebet verstanden hätte. „Es ist bekannt," antwortete der Geistliche, „daß die Soldaten „ohne Unterlaß sagen: hol mich der „Teufel; wenn nun also diese Bitte erhört „würde, so müßte der Krieg von selbst ein Ende „nehmen."

Ein Bürger in F* setzte dem bei ihm einquartirten Soldaten Blumenkohl vor, der sehr schmackhaft zubereitet war. „Ah cela est bon, cela est très-bon," sagte der Kriegsmann. — „Nun seht mir den welschen Kerl an," erläuterte der Wirth diese Rede, „frißt der den

„Blumenkohl für Saubohnen; so geht es, wenn „man die Sprache nicht kann.“

Julie F., eine junge üppig gebaute Sängerinn, versprach sich bei dem letzten Wort der Frage: „sahen Sie schon meine Büste?“ so auffallend, daß Parterre und Gallerie laut auflachten, während der zärtere Theil des Publicums erröthete. Ihr Liebhaber, seiner Rolle treu, antwortete: ich sah, ich küßte sie. — Das Haus erbebte.

Zwei Catholische Pfarrer überreichten zu gleicher Zeit bei dem Fürstbischof von Sp. Bittschriften. Der eine wollte eine Perücke tragen, der andere wünschte eine Verwandte als Haushälterinn zu sich zu nehmen. Der Fürst resolvirte darauf. Allein, da die Bittschriften in der Canzlei waren verwechselt worden, so ward dem einen Geistlichen eine Perücke zu tragen erlaubt, wenn sie das canonische Alter (d. i., das 40. Jahr) erreicht hätte; dem andern aber wurde sein Gesuch in sofern zugestanden, daß sie nicht gepudert sey.

Ein catholischer Priester hielt sich drei junge Mädchen zur Aufwartung. Der Bischof stellte ihn darüber zur Rede, und machte ihn auf das Aergerniß aufmerksam, welches er seiner Gemeinde gebe, indem die Haushälterinn eines Priesters wenigstens funfzig Jahre alt seyn müsse. „Ich halte mich genau an jene Vor„schrift, Hochwürdiger Herr,“ verantwortete sich unser Pastor, „der Unterschied ist nur der, „daß ich meine Haushälterinn in drei Bände „getheilt habe. Meine Mädchen sind alle dreie „zwischen Sechszehn und Siebenzehen, so daß sie „zusammen gerade funfzig Jahre ausmachen.“

In einer abgelegenen Strasse wohnte eine Betschwester, welche das Zeitliche zu segnen im Begriff stand. Es erschien der Seelsorger, um ihr seinen geistlichen Zehrpfennig zu reichen. „Seid getrost, Frau Martha,“ so sprach der

der Mann zu der Alten, welche etwas schwer von Gehör war, „Christus der Herr starb für „unser aller Sünden.“ .... „Lebt der brave „Mann nicht mehr?“ fiel die Frau in die Rede, „ach Gott! hier in meinem Winkelchen komme „ich um alle Neuigkeiten.“

16.

Bosheit.

Eine adeliche Dame in Hdg. verglich in einer Theegesellschaft, welcher nur Personen ihres Standes beiwohnten, die Bürgerlichen mit irdenem Geschirr, die Adelichen aber mit Porcellain. Daher kommt es zweifelsohne, sagte darauf ein fein gebildeter und anspruchsloser Weltmann aus der Gesellschaft, daß es hier so vielen Ausschuß gibt. Der Bediente hörte dieß mit an. Nach genossenem Thee wollte die Gnädige der Gesellschaft ihre beiden Kinder präsentiren, und befahl dem Bedienten, die Magd mit den Kindern herbeizurufen. Als dieser aus dem Zimmer herausgetreten, rief er mit lauter Stimme, so, daß es die Gesellschaft vernehmen konnte: „Irdenes Geschirr, „bring das Porcellain herauf!" Es fragt sich, zu welcher Art von Porcellain gehört ein neugebackner Adelicher?

Die kleine niedliche Pr. hatte auf dem Theater zu F. die Rolle des Pagen in Kotzebues bekannter Posse zum Entzücken gespielt. Beim Auskleiden sagte sie: „Ich habe meinen Paul „heute so natürlich gegeben, daß gewiß die „Hälfte des Publicums mich für einen Jungen „gehalten hat.“ — „Aber die andere Hälfte „war bestimmt vom Gegentheil überzeugt,“ fügte eine der ältern Damen hinzu.

Der Amtmann Z........r, wurde zur Berichtigung eines Grenzstreites mit zwei Schultheißen seines Amtes auf Commission gesendet. Der gegenseitige Commissarius brachte gleichfalls zwei seiner Gerichtspersonen mit. Einer von diesen war aber so vorwitzig, wußte alles besser, und fiel dem Commissarius so oft ins Wort, daß Herr Z........r nicht umhin konnte, ihn zu fragen: „nicht wahr, Herr Schulz, er „ist ein Siebenmonatskind?“ — „Warum, gestrenger Herr Amtmann?“ — „Mir „wäre es sonst ganz unbegreiflich, wie ihn

„seine Mutter länger hätte unter ihren Herzen
„dulden können.“

Ein artiges Dienstmädchen trug einen Ring mit einem kostbaren Diamant. Einer von den Gästen betrachtete bei Tisch mit Verwunderung den Ring. Die Frau vom Hause, welche gegenwärtig war, behauptete, daß es einer von den feinsten Diamanten sey: „O,“ erwiederte jener, „wir wollen ihr die Ehre erweisen, und
„glauben, daß er unecht ist; denn wenn der
„Diamant gut ist, so ist nicht viel Gutes am
„Mädchen.“

Die löbliche Schneiderzunft in Jena hielt einst einen pomphaften Aufzug. Bei dieser Gelegenheit wurde auch das Herbergenschild renovirt, und statt des alten die gewohnten Insignien tragenden ein neues, einen aufrecht stehenden Löwen mit einer Scheere in den Tatzen vorstellend, auserkohren. Einige muthwillige Musensöhne redeten auf eine etwas nachdrückliche Weise mit dem Maler. Der Mann dachte nach, malte, und die Studenten lachten ins Fäustchen. Nun erschien der festliche Tag. Das Schild war zur vollkommnen Zufriedenheit beider Theile ausgefallen. Der Aufzug, das Fest, alles war glänzend und schön. Nachts führte das Schicksal einen Platzregen herbei, und wie erstaunten unsere Schneider, als der mit blossen Wasserfarben getünchte König der Thiere einem Geißböcklein hatte weichen müssen. — Sic transit gloria.

Ein Advocat zu Toulouse, Namens Adam, mußte dem Präsidenten alle Reden machen, welche dieser zu halten hatte. Der Advocat war genöthiget eine Reise nach Paris zu thun, unterdessen aber mußte der Präsident mit einer Rede auftreten, die er selbst, so gut er konnte, zusammengestoppelt hatte. Da er nun öffentlich haranguirte, und in der Rede nicht gut fortkommen konnte, so rief einer von den Räthen: „Adam, wo bist du?“

Voltaire war einst mit Moncrif in einer Gesellschaft, in welcher über ein neu erschienenes Gedicht gestritten wurde. Moncrif sprach in einem schneidenden Tone, schrie sehr laut, und berief sich auf Voltaire. „Denn," sagte er, „wir, H. v. Voltaire und ich, wir „verstehen uns darauf." — „Das mein' ich," antwortete Voltaire. „Nicht wahr, Sie sind „ein Kesselflicker?"

Zu N. wurde vor einigen Jahren eine Versammlung der Stände gehalten, um über eine Kriegscontribution, welche schleunig gezahlt werden sollte, zu deliberiren. Der Redner begann damit, daß er alle Lasten aufzählte, welche das Ländchen vom dreissigjährigen Kriege an getragen hatte. Als er nun drei volle Stunden gesprochen, und den siebenjährigen Krieg noch nicht erreicht hatte, seufzte einer der anwesenden Volksrepräsentanten: „O hätte ich doch meine Nachtmütze mitgebracht!"

„Wer hat Ihn denn geadelt?“ fragte Friedrich der Grosse einen nicht rühmlich bekannten Edelmann aus Schlesien. — „Allerhöchstdero Herr Vater.“ — „Da muß es „ihm noch an aller Uebung gefehlt „haben.“

„Liebes Kind,“ sagte eine hagere Betschwester zu ihrer leichtfertigen Nichte, die sich eben ein wenig über die Leute aufhielt: „Bevor ich „meinen Nächsten richte, so greife ich zuvor in „meinen eignen Busen, und fühle, ob auch noch „Fleisch und Bein an mir ist.“ — „Ach, liebe „Frau Muhme,“ rief die Unartige, „sagen „Sie doch lieber Haut und Knochen!“

Freron hatte zwar Voltairens Merope, vor ihrer Erscheinung auf der Bühne, heftig angegriffen, dessenungeachtet wurde aber das Stück mit rauschendem Beifall gegeben. Voltaire ließ nachher eine prächtige Ausgabe in Quart mit einem in Kupfer gestochenen Titelblatt veranstalten, auf welchem ein Esel einen Lorbeerbaum abweidete. In seinem nächsten Journalstücke widerrief zwar Freron zum Theil seine Critiken, rühmte auch die Ausgabe als sehr schön, kündigte sie aber ganz trocken in der Titelanzeige an: „avec le portrait de l'auteur," worauf Voltaire nichts Angelegentlicheres zu thun hatte, als die ganze Edition wieder an sich zu kaufen, und dem Vulkan zu opfern.

Bei einer Parlamentswahl zu Schrewsbury ließ einer der Candidaten, Namens Kinaston, einen pensionirten Officier aus London auf seine Kosten dahin reisen, um ihn für sich stimmen zu lassen. Der Officier präsidirte bei allen Gastmälern, die Kinaston gab; als es aber zum Stimmen kam, gab er sein Votum dem Gegner. Man machte ihm Vorwürfe darüber. „Meine „Herrn," antwortete er, „ich habe viele Cam„pagnen mitgemacht, und ich erinnere mich sehr „gut, daß unser General uns immer empfahl, „in Feindesland zu fouragiren."

Nachdem Philipp IV. das Königreich Portugall, Catalonien und noch einige andere Provinzen verloren hatte, fiel es ihm ein, den Beinamen des Grossen anzunehmen. Der Duc von Medina Celi sagte daher: „Unser Herr ist wie ein Loch; je mehr er verliert, desto grösser wird er.“

Vor der Darstellung von Schillers Cabale und Liebe gerieth Ferdinand mit seiner Louise in der Garderobe in einen heftigen Wortwechsel. — „Nun,“ bemerkte der Schauspieler, welcher den Hofmarschall von Kalb gab, „die Cabale hätten wir bereits, die Liebe „wird hoffentlich noch nachkommen.“

Einst sagte ein Pamphletschmierer zu Piron: „Von meiner letzten Brochüre versichert der Ver„leger innerhalb eines Monats vier Auflagen „verkauft zu haben. Der Verleger Ihrer Me„tronomie zehrt noch an der ersten.“ — „Hm,“ antwortete Piron, „man kann, mit bestimmter

„Gewißheit annehmen, daß jährlich tausendmal „mehr Eicheln als Ananas verzehrt werden: „aber wer thut es?"

Professor Haupt las ein Collegium über Experimentalphysik, und verband damit ein Examinatorium. Einst fragte er über einen sehr einfachen Satz, und erhielt eine höchst einfältige Antwort. Ein anderer Zuhörer erwiederte die nämliche Frage auf eine durchaus verschiedene, aber eben so alberne Weise, da wurde H. ärgerlich, und sagte: „ich sehe wohl, die Gelehrten sind hier verschiedener Meinung."

Zu Paris pflegte man sonst auf den beiden Seiten der Bühne Stühle für Zuschauer hinzustellen. Armand, ein Schauspieler, bemerkte, daß ein kleiner Buckliger täglich einen dieser Stühle einnahm, und zu seinem Spiel entweder immer die Achseln zuckte, oder den Kopf schüttelte. Um sich von ihm zu befreien, kaufte Armand eines Tages alle Billets zu jenen Sitzen, stellte sich auf das Pont-Nouf, und verschenkte sie an lauter Bucklige mit der inständigen Bitte, das Stück mit ihrem Beifall zu unterstützen. Den ersten Stuhl hatte er seinem Tadler angewiesen, und dieser fand sich zuerst ein. In dem Augenblick, als der Vorhang aufging, wurde auch das Proscenium durch die Lampen erleuchtet, und bei dem plötzlichen Anblick der auserlesenen Gesellschaft auf dem Proscenium brach das ganze Publicum in ein lautes Gelächter aus. A bas les bossûs! riefen tausend Stimmen. Die Armen gehorchten und der lästige Splitterrichter fand sich nie mehr ein.

Man theilte Voltairen einst ein Werk mit, das in Paris grosses Aufsehn gemacht hatte, ohne viel werth zu seyn. Es hieß histoire des bêtes etc. „Wie es scheint," sagte Voltaire, als er es gelesen hatte, „ist das Familienarchiv des Verfassers eben nicht in guter Ordnung gewesen."

Als der Geheimerath von G......g auf dem Museum zu F. eines seiner schlechten Gedichte declamirt, und die Versammlung nicht wenig damit gelangweilt hatte, machte einer der Anwesenden folgendes Impromptu:

Apoll! du grosser Richter,
Mach' doch den Herrn Geheimenrath
Auch zum geheimen Dichter.

Man lobte in einer Gesellschaft die Rosenwangen der jungen Frau von ......u. — „Schade „nur, daß sie abfärben," bemerkte ein Anwesender.

Als Collé Voltaire's Tod erfuhr, sprach er: „Endlich besteht wieder eine Gelehrten„republik."

Der Pfarrer Reinhard aß nicht selten bei dem Canzleirath Wangel, und zwar à la fortune du pôt. Zufälliger Weise traf es sich, daß er mehreremals hintereinander mit Bratwurst regalirt wurde, welche eben nicht zu des geistlichen Herrn Lieblingsgerichten gehörte. Bei einer wiederholten und sehr dringenden Einladung des Canzleiraths, das Abendbrod bei ihm einzunehmen, lehnte dieses Hr. R. höhnisch lächelnd mit den Worten ab: „ich wünsche gesegnete Bratwurst.“

„Wie? Sie schlafen Vormittags?“ — fragte ein Regierungsrath seinen Freund. „Ja, versetzte dieser gähnend, „ich habe die Resource „der Sessionen nicht.“

Bei dem Casino in Halberstadt looste man um die Reihefolge bei den Tänzen. Ferdinand und Amalie erhielten Nro. 10. Ein Spottvogel bemerkte: das Paar spricht seine Nummer aus, sie ist eine Null, er höchstens die Eins.

Der Hofrath Dr. K** nahm's sehr übel, als ihm neulich nachgesagt wurde, er habe eine

Vocation, als Professor der Physiologie nach Dorpat mit 1000 Trumpel jährlicher Besoldung erhalten.

Familienverbindungen hatten den eitlen Herrn von L** bis zum Capitain geholfen. In einer Gesellschaft unterhielt er die Damen mit fadem Witz, und belachte die eignen Einfälle stets sehr laut, um Gelegenheit zu geben, seine schönen Zähne zu bewundern. „Hat er Pulver „gerochen?" fragte eine Dame. — „O ja, „Zahnpulver," erwiederte eine andere.

Herr Dr. Capot zu Freistedt, der Zeitungsschreiber, pflegte bei Verweisung von frühern Artikeln auf ältere sich stets des Ausdrucks: siehe oben, zu bedienen. — Ein Spötter meinte, er würde richtiger sagen: siehe unten, indem dieß genauer den Gebrauch andeute, welchen man von seinem Papier machte.

Registrator Fämel in Buzbach, dessen junge Frau ihn sechs Wochen nach der Heirath mit einem reifen Töchterlein beschenkte, erholte sich wegen dieses seltsamen Ereignisses, bei dem Accoucheur des Orts Raths, und erhielt die beruhigende Antwort: „seyn Sie unbekümmert, „bei Erstgeburten ist dieser Fall nicht ganz „selten, bei den folgenden kam er mir jedoch „bis jetzt nicht vor.“

Der Professor Zachariä, ein längst verstorbener, doch gelesener und geschätzter Dichter in Braunschweig, hatte einen Hang zur Pracht, und wenn man will, zum Wohlleben. Schon seine Figur und sein ganzes Wesen hatten etwas Pomphaftes. Er war groß, stark und stattlich, und trat majestätisch einher. Neben einem schönen Hause und einem guten Tisch schaffte er sich auch eine Equipage an. Auf die Thüre seines Wagens ließ Zachariä ein Z. malen. Die glänzende Equipage eines Professors machte in jenen Zeiten, etwa vor 40 Jahren, wie man leicht denken kann, in Braunschweig viel Aufsehen. Als man Lessing erzählte, daß Zachariä in seiner neuen Kutsche umherrolle, sagte er ganz trokken: „Zachariä hätte wenigstens kein Z. auf „seinen Wagen sollen malen lassen." „Warum „nicht?" fragten die Umstehenden. „Wenn die „Leute," erwiederte Lessing, ein Z. auf dem „Wagen erblicken, so werden sie sagen, es ist „nichts dahinter."

Ein Frauenzimmer, die sich als Naive gefiel, legte während des Schauspiels ihren Kopf auf die Schulter ihres Nachbars mit den Worten: „Betty will schlafen, und ihren Kopf auf „deine Schultern legen." „Sehr gern," erwiederte der Nachbar, „Betty hat doch kein „Ungeziefer von Stand."

Die Frau des Prof. G—g klagte einst gegen ihre Freundinn über die Unart ihres Mannes, daß er Tags und Nachts über den Büchern läge, und sie ganz vernachlässige. „Ich wollte," schloß sie ihre Klagen, „daß ich ein Buch wäre, so

„würde mich mein Mann mehr lieben.“ „Das „ist wahr,“ sagte der aus der Seitenthür her- eintretende Professor, „ich wünschte, du wärest „ein Calender, so hätte ich alle Jahr einen „neuen.“

Ein lüderlicher Mensch hat sein ganzes Vermögen verspielt. Ein Prediger, sein Freund, suchte ihn auf bessern Weg zu bringen. Der Spieler aber entgegnete ihn: „Da ich schon neun- „mal verdorben bin, so werde ich mich nun in „Acht nehmen, denn sonst dürfte ich, da ihr den „Zehnten empfangt, in eure Hände fallen.“

Pope hatte sich anstatt eines Fluches zu Ausfüllung einer Rede die Worte angewöhnt: „Gott beßre mich!“ — Als er einmal mit einem Lohnkutscher in Streit kam, und sich ebenfalls zu wiederholtenmalen dieser Worte bediente, so sagte der Kutscher: „Ei! was „bessern; es wäre nicht halb so viel Mühe, einen „ganz andern Kerl zu machen.“

Ein Kaffeewirth und ein Jude hatten beide Weiber, von denen wohl keine wegen ihrer Häßlichkeit beim Urtheile des Paris auch nur als Zuschauerinn sich hätte sehen lassen dürfen. Wie nun aber der Mensch ist; man rügt den Splitter im Auge des Bruders, und übersieht den Balken im eignen; also auch unser Kaffewirth. Er neckte den Juden, wo er sein nur habhaft werden konnte mit den Reizen seiner Gattinn, bis dieser sich endlich nicht mehr zu mässigen vermochte, und jenem die Frage aufwarf: „Nun, und Sie, Herr K........r, „was haben Sie denn für die Facon „bei Ihrer Frau Liebsten bezahlt? „Viel kann sie nicht gekostet haben!“ — Die Kaffewirthinn war nämlich mit einem heftigen Verdruß auf der obern Hälfte der Kehrseite versehen.

Ein Franciscaner wollte seinem Ordenspatrone eine vorzügliche Lobeserhebung machen, und sagte daher in einer seiner Predigten:

„Wo werden wir den heiligen Franciscus wohl „hinstellen. — Lassen wir ihn unter dem übrigen „Schwarm der Heiligen, das ist zu wenig. „Setzen wir ihn unter die Patriarchen, das „ist auch nicht genug. Setzen wir ihn unter „die Propheten; er ist mehr, als ein Prophet. „Setzen wir ihn unter die Engel, o! er ist „vortrefflicher, als alle Engel, Erzengel, Se„raphim und Cherubim! — Nun, wo werden „wir ihn wohl hinsetzen?" — Einer der Zuhörer, welcher dieser Aufschneiderei müde war, stand auf, und sagte: „Wenn ihr nicht wißt, „wo ihr ihn hinsetzen sollt, so setzt ihn an mei„nen Platz, ich gehe jetzt fort."

17.

Albernheit.

Ein Advocat verlor vor Gericht seine eigne Sache, und wurde darüber von seiner Schwester zur Rede gesetzt. Er suchte sie indeß dadurch zu beruhigen, daß er sagte: „Die Herrn auf dem Rathhause haben nicht das Recht, das ich studirt habe."

„Je suis le premier consul de la ville," sagte ein Mitglied des Rathes in Krähwinkel zu einem Officier der ***schen Armee, um einen Beweis der Wichtigkeit seines Amtes zu geben.

„Vous voyez en ma personne le commis-„saire des boeufs," interpretirte Herr G—, als der französische Commandant in H** ihn fragte, warum er mit so vieler Heftigkeit sich in den Streit mische, der so eben über das Verproviantirungsgeschäft neu angekommener Truppen entstanden war.

Müde und sehr erhitzt kam ein Landedelmann zur Abendzeit auf dem Gute seines Freundes an. Er ging spät zu Bette, entschlief bald in sanfter Ruh, wurde aber schon nach einigen Stunden, durch einen peinigenden Durst aufgeweckt, und ergriff im Finstern tappend endlich eine Flasche, trank ohne genauer zu prüfen, und fühlte nur, daß er etwas Körperliches mit hinunter schlucke. — „Ach, daß sich „Gott erbarme,“ rief am andern Morgen die Haushälterinn, „der fremde Herr hat das hoch„selige Junkerchen geschluckt!“ Es war nämlich ein hochadeliches Embryo in Spiritus in der Stube aufbewahrt worden.

Nanette, die Tochter der Frau von W., mißhandelte nicht selten den Mops ihrer Frau Mutter. „Fährst du fort, mich zu kränken,“ sprach die Mama, „so werde ich sterben, und „dir wird eine Stiefmutter zu Theil.“ Das Töchterlein entgegnete: „Und wenn Azor stirbt,

„gnädige Frau Mama, so bekomme ich wohl „auch einen Stiefmops."

Zwei Schwaben wanderten von Heilbron nach Leipzig. Jenseits Darmstadt fragten sie ein Bauermädchen, wie weit sie noch von Frankfurt seyen. — „Sechs Stunden!" — „Desto „besser," sagte der eine, „so hat jeder nur „noch drei zu gehen."

König Jacob I. ließ vor seinem Krönungstage den Grundstein zu einem geräumigen Narrenhause legen, und befolgte bei dessen Erbauung den Plan des Vaticans zu Rom.

Ein Schäfer, Martin genannt, hatte an einem Sonntage sich von der Heerde hinweggestohlen, um in der Kirche des nahen Dorfes einigen Trost zu verspeisen. Ihm war auch sein getreuer Phylax nachgeschlichen, und die armen Schaafe standen provisorisch unter Gottes Schutz allein. Der Prediger hatte das Evangelium vom guten Hirten durch Zufall gerade für diesen Tag gewählt. Als Martin einige Zeit zugehört hatte, stieß er seinen Phylax an, und sprach: „Komm, der Herr Pfarrer sti„chelt auf uns.“

Herr Tapkow spielte eines Tages mit einigen seiner lustigen Freunde Karten, und, was bei seinem Phlegma keine ungewöhnliche Erscheinung war, entschlief sanft und süß. Als seine Freunde den ehrlichen Mann im Lande der Träume glaubten, wurden alle Lichter ausgelöscht, und der Schlafende aufgeweckt, indem man ihm sagte, daß eben die Reihe des Ausspielens an ihm sey. Nebenbei ermangelte man nicht, sechs Stiche, ich passe, grande misère u. s. w. hören zu lassen. Tapkow rieb sich die Augen, und sagte, er sähe nichts, die Lichter müßten ausgegangen seyn. Seine Freunde hingegen bedeuteten ihn, daß sie alle sehr gut sähen, und so ließ der arme Schelm sich aufbinden, es habe ihn eine plötzliche Blindheit befallen.

Der Prediger Gr. zu F** bewirthete bei Gelegenheit der Kirchen- und Schulvisitation den Superintendenten Dr. R. Irgend ein Spaßvogel hatte dem ehrlichen Pastor glauben gemacht, daß der Dr. R. für sein Leben gern Lichter putze. Er pflanzte daher vor seinem Hrn. Ephorus ein halb Dutzend Kerzen auf, um diesen das Vergnügen zu gewähren, sie zu schneuzen. Dieß that denn der Dr. auch, und mußte es wohl thun, weil ihm, auf heimliche Veranstaltung des Pfarrers, bei diesem Geschäfte Niemand zu Hülfe kam. Als nun nach der Abendmahlzeit der Superintendent sich in seine Wohnung begeben wollte, stieg der Pastor vor ihm her, in der linken Hand zwei Lichter, in der rechten einen porzellanenen Teller, auf welchem eine blanke Lichtputze lag. Nachdem der Superintendent sich ihm empfehlen wollte, bot er ihm höflich noch einmal die

Lichtputze an, und sagte mit unbeschreiblicher Freundlichkeit: „Ist's Ihro Hochwürden noch einmal gefällig?“

Ein Polnischer Starost pflegte sich beim Nachtische seiner lebhaften Phantasie zu überlassen, die ihm dann nicht selten sonderbare Dinge vorgaukelte, und es war gefährlich, ihm zu widersprechen. Einst behauptete er in völligem Ernst, die schwimmenden Batterien vor Gibraltar commandirt zu haben, und berief sich zur Bestätigung eines Umstandes der berühmten Schlacht, die sie zerstörte, auf seinen Haushofmeister. „Verzeihen Ihro Gnaden,“ antwortete dieser, „ich kann das in der That nicht wissen. Sie werden Sich erinnern, daß mich die erste Kanonenkugel der Engländer tödtete.“ „Es ist wahr,“ sagte der Graf, „zur Entschädigung machte ich Ihn zum Haushofmeister.“

Zu D. brachte ein bei der Bibliothek angestellter Secretair gegen den verdienstvollen Bibliothekar eine Denunciation vor, worin es unter andern ihm auch zum Vorwurf gemacht wurde, daß er die Bücher alle in gleichem Band binden liesse. Was aber das Aergste war, so belegte er deßhalb seinen Vorgesetzten in der Schrift mit dem Prädicat: Waisenvater.

In einer bekannten Universitätsstadt erließ der Physikus bei Gelegenheit, als der Croup dort wüthete, ein Circulare an die Einwohner, worin er sie besonders warnte, ihren Kindern keine Cartoffeln zu geben, weil — sie Branntweinstoff enthielten. Auf diese Art, entgegneten die andern Aerzte, würden die Kinder weder essen, noch trinken dürfen, da bekannter Maßen aus allem, sogar aus Milch, vermittelst Gährung, ein Geistiges gezogen werden kann.

Ein Pädagog hielt zu P. Vorlesungen über die Erziehungswissenschaft, und hatte, da er seinen Zuhörern die Naturgeschichte des Menschen an Präparaten und Sceletten deutlich machen wollte, einige Vorlesungen in dem anatomischen Theater zu halten angekündigt. In der ersten Stunde zeigte er den Anwesenden das Scelett eines 10jährigen Knaben, gab es aber für das Gerippe eines vierjährigen Kindes aus. Die Zuhörer horchten, und drückten ihren bescheidenen Zweifel durch ein Kopfschütteln aus. Der Aufwärter trat in dem Moment herein, und der Lehrer rief ihm zu: Müller, ist das Scelett dort nicht von einem 10jährigen Knaben? Nein, antwortete der Aufwärter, es fehlen deren 6. Nun, so kann man sie suppliren, fuhr der Docent fort, eine so kleine Differenz ist von keiner Bedeutung.

18.

Bildersprache.

Ein verdienstvoller Schriftsteller der Vorzeit warnt, in einem Werke über die Redekunst, seine Leser vor nachstehenden unrichtigen Gleichnissen:

Das Büchsenpulver meiner Geduld.

Der Hosenheber meiner Pferde (das Geschirr).

Die Antiquitates Rosini (eine alte Jungfer).

Das Wasser der Liebe.

Der Schafstall der Liebe.

Das Pferdlein der Leidenschaft.

Das Schaf meines Zornes.

Der Honig des Kreuzes.

Hochzeit-Myrrhen.

Der Wurm der Klugheit.

Der Hase der Tapferkeit.

Der Ring meiner Lebenslinie.

Der Hund eines Bauern biß einem Schwein in das Hintertheil. Die Frau des Blessirten

eilte zum Amtmann, und trug mit lautem Schluchzen das ihr widerfahrne Unglück vor. Dem Richter blieb bei dem unverständlichen Vortrag noch einiger Zweifel, und verlangte eine wiederholte Erzählung des Facti. Da drückte sich die Frau gleichnißweise also aus: „Ey so denke er doch, Herr Amtmann, er wäre der Hund, ich die Sau ꝛc.“

Seltsame Gleichnisse aus der Bildersprache eines nun verblichenen Redners entlehnt.

Die grosse Zeugemutter (Natur).
Goldäpfel (Pomeranzen).
Ein Tageleuchter (Fenster).
Ein Tageisen (Sporrn).
Eine Hauptstürze (Huth).
Ein Mundthier (Maulesel).
Eine lebendige Mausefalle (Katze).
Der Windfang (Mantel).
Ein Freßdegen (Messer).
Ein Mundwurf (Maulwurf).
Jungfernzwang (Kloster).

Die Frau von Pompadour, welche bekanntlich die Kriegsangelegenheiten eben so eifrig verwaltete, als die Angelegenheiten des Boudoirs, schrieb eines Tags an den Marschall d'Estrées einen langen Brief, machte ihm in demselben eine Art von Zeichnung, und bemerkte die Plätze, die er angreifen sollte, da sie nichts Bequemeres bei der Hand hatte, durch Schönpfläſterchen.

Herr von Kaltenborn war der allgemein bekannte Anbeter der verwittweten Baronesse D—g in K....l. Einst klagte die Dame über Magendrücken. „Die gnädige Frau werden sich „mit zu viel kaltem Wasser den Magen „verdorben haben," sagte der anwesende Jude F....l.

Herr von A.....g, ein Edelmann aus Bautzen, wurde zu Dresden in einer Gesellschaft von der Frau von M—n, einer Coquette, welche längst schon die verdrießliche Epoche zwischen zwanzig und dreissig Jahren passirt hatte, mit liebevollen Blicken und zärtlichen Redensarten verfolgt. Endlich sagte er zu der Dame, deren Ueberlästigkeit ihm nicht neu war: „Sie sind „in der That wie eine Cremoneser Violine zu „betrachten, meine Gnädige, je mehr auf Ih„nen gespielt wird, desto besser werden Sie.“ — Erzürnt entgegnete die Schöne: „Und Sie, „mein Herr, gleichen unsern inländischen Tü„chern, je mehr man sie trägt, desto gröber „werden sie.“

Schreiben eines Alchymisten an den Prediger F. zu H., als er, nach dem Fremdengesetze, sich einen andern Aufenthaltsort wählen mußte.

St***, den 10. May 1794.

Ich bin pro tempore hier in St**, würden Sie wohl, wenn ich Sie recht sehnlichst darum bäte und mein schönstes Complimentchen vermeldete, mich alten Mann besuchen, ihren Rath zu hören; denn die Sache verdriest mich entsetzlich. Wäre ich nicht ein natürlicher Philosoph, der diese Chicanen als Erbtheil einer verdorbnen Welt ansähe, so würde ich mich baß grämen, aber Gott sey Dank! ich betrachte sie chemisch und nenne meine jetzige Lage Fermentatio Spirituosa, denn gleichwie durch die fermentirende Bewegung eine Entwicklung der hülsigten und mehlichten Theile geschieht, also mein Zustand. Ich liege in der Sandcapelle der Leiden, daß meines Erlösers Eigenthum für die ewige Herrlichkeit rectificirt werde. Aus dieser Lehre, die man Zymotechnia oder Gährungskunst nennt, könnte wohl sehr leicht die Auferstehung der Todten bewiesen werden, welches ich jedoch Ew. Hochwürden gelehrtem Urtheil überlasse. O Gott wie unergründlich sind deine Wege! Auch leide ich wieder heftig am Podagra.

Frau von G......g in R......t fragte den Hrn. L......t, von welchem sie gehört hatte, daß er sehr geübt im Verdeutschen Französischer Verse seye, ob er wohl eine Strophe, die sie ihm vorsagen würde, sogleich übersetzen könne. — „Ich will es versuchen.“ — Die Dame reimte:

Contre Vos charmes personne peut se défendre,
En Vous voyant, il faut d'abord se rendre.

Der Dichter verdeutschte:

Euern Reizen kann Niemand widerstreben,
Kaum hat man Euch gesehen, muß man sich übergeben.

Bei dem Wasserbau zu N...... wurden eine Parthie Waidenfaschinen gestohlen. Das Kammerkollegium zog den Oberaufseher zur Verantwortung, und verlangte unter andern auch: er solle angeben, auf welche Art die Weiden abhanden gekommen wären. Sein Bericht lautete, er könne sich keine andere Art denken, als die, auf der seinem Gutachten beigefügten Anlage. Hier war nämlich der Wasserbau mit der ganzen umliegenden Gegend abgebildet, und ein Männlein gezeichnet, welches einen Bündel Faschinen auf dem Rücken davon trug. — Ecce homo.

19.

Verkehrter Sprachgebrauch.

In F** erschien eine Frau als Klägerinn auf dem Quartieramt. Sie beschwerte sich, daß sie über ihre Kräfte mit Soldaten belegt werde, und zu Grunde gehen müsse, wenn dieß noch einige Zeit fortdauere. Sie hoffe daher, die hohe Obrigkeit werde ein Einsehens haben u. s. w. „Aber Frau Müller,“ sprach der Director, „ich kann mich nicht davon überzeugen, daß „ihr zu viel geschieht, sie hat ja doch zwei „Häuser.“ .... „Was, zwei Häuser?“ unterbrach ihn heftig die Clientinn, „zwei „Löcher sind es, was kann man da „viel mit anfangen? Das hintere ist „ein häßliches kleines Nest, da geht „kein Soldat hinein, und im vordern „hat mein Mann seine Werkstatt; „wo in aller Welt soll ich nun die „Einquartirung hinlegen?“

Der Rath zu Zwenke wollte in der Gemarkung den Schaden besehen, welchen das Wetter angerichtet, und hatte mit dem Stadtknechte schon einige Zeit auf die Betheiligten gewartet. Als nun endlich einer nach dem andern ankam, rief der Frohn voller Zorn: „Wo bleibt ihr denn so lange? die Herren Bürgermeister haben auf euch gewartet, wie die Narren.“

Aus Krähwinkel wird angezeigt, daß der dasige Rindvieh- und Krämermarkt zur gewöhnlichen Zeit statt haben werde.

Pastor H—n erzählt, daß, als er auf die Heurath ausgegangen sey, seine Anrede an die Ausersehene nachstehende gewesen wäre: „Wollen Sie wohl die Güte haben, mich zu heurathen?“ — und die Schöne hätte erwiedert: „wenn Sie erlauben, so will ich so frei seyn.“

Bei der letzten Frankfurter Messe empfahlen Gebrüder Meyer aus Braunschweig die geschmackvollen Artikel ihrer neu etablirten lakirten Blech- und Zinnfabrik.

Einem Schauspieldirector bot sich eine Sängerinn an, und versicherte, daß sie nicht nur in 10jähriger Routine sey, sondern auch den grossen Vordertheil habe, daß sie ihre Rollen und Arien selbst einstudire.

Ein artiges Mädchen, so schuldlos, daß sie, wie die Herausgeber auf Eid und Pflicht versichern können, den Unterschied nicht kannte, welcher nach dem unvergeßlichen Lichtenberg zwischen Mannspersonen und Mannsbildern statt findet, lehnte eine Partie ab, zu welcher sie eingeladen wurde, — weil ihr etwas dazwischen gekommen sey.

„Des Sternwirthes Wein — probatum est,“ sagte ein feiner Sachkenner, „aber des Löwen„wirthes seiner ist noch probatum ester.“

Der Pedell Treff beim Cammerkollegium in N. bat um die Erlaubniß, sich verheurathen zu dürfen, und die Registratur erhielt die Auflage: die Braut zu vernehmen, die Nothdurft allenthalben zu begreifen, und, wie dieses geschehen, berichtlich anzuzeigen.

Es suchte jüngst ein tiefgebeugter Vater von seinem seit mehreren Jahren abwesenden Sohne Nachricht zu erhalten, und gebrauchte dabei den Ausdruck: meinen Sohn Jacob, der, unwissend, wo? herumreißt, bitte ich dringend um schleunige Angabe seiner Adresse.

Neulich las man in der Darmstädter Zeitung in einer Todesanzeige folgende Phrase: „Am 15ten d. Monats entschlummerte meine 40 Jahre besessene Frau sanft und seelig zu einem besseren Leben unter Verbittung aller Condolenz.

Eine Modehändlerinn kündigte an: ihre Boutique sey im dritten Gange und logire im Gasthofe zum grünen Wald.

In der Rehberger Brunnenliste von 1788 liest man: Herr Albrecht reitender Förster zu N. Frau Albrechtinn reitende Försterinn zu N. Dieß klingt seltsam, seltsamer aber klingt es noch, wenn man auf dem Bergwerke zu B. die Gattinn des Einfahrers: Frau Einfahrerinn nennen hört. Auch Frau Bereiterinn, Frau Leibbüchsenspannerinn sind an einem benachbarten Hofe übliche Titulaturen!!!

Seltsames Rubrum einer Supplik: Nachlaß der in höchster Reue begangenen Scortationsstrafe.

Ein Schulmeister wurde von der ehrsamen Gemeinde als Deputatus an den Gutsbesitzer des Ortes an dessen Geburtstage abgesendet, um ihm die gesammten Empfindungen auszudrücken. Seine Anrede lautete also:

Hochwohlgebohrner Herr und Gönner! Ich erscheine bei deinem Wiegenfest als Sprachrohr der Gemeine.

Nach Berlin fährt morgen Jemand mit einem einspännigen Pferd.

In einem Heurathscontract gebrauchte ein Notar, nachdem er der Jungfer Braut auf mannigfaltige Weise gedacht hatte, den Ausdruck: oft berührte Jungfer Braut.

Je souffre beaucoup d'une rivière dans le pauvre juste, qui me défend la pièce, schrieb eine angehende Deutschfranzösinn, um sich über den Fluß im rechten Arm, der ihr das Sticken verbiete, zu beklagen.

Der alte grämliche geheime Rath W—g—r, dessen Garten auf den des Waisenhauses stieß, wurde gar häufig durch die muntere Jugend in seiner Nachmittagsruhe gestört. Er klagte bei dem Director, dieser aber, ein humaner Mann, ließ den Waisenpfleger rufen, erzählte ihm den Vorfall, sagte ihm, er möge verhüten, daß die Knaben nicht zu laut würden, und übrigens keine Notiz von des alten Nachbars schwarzer Laune nehmen. — „Wohl, Herr Director," entgegnete der Pfleger, „ich nehme keine Justiz „davon, die Buben mögen sich avertiren, „es können ja der Hr. W—g—r strahiren „ab von der Sache."

Der Registrator F***g bat bei dem Cammercollegium um einen zweitägigen Urlaub wegen Besorgung von Familienangelegenheiten; er wollte nämlich Schweine schlachten.

Der Titel des Schauspiels: la femme Juge et Partie, wurde also verdeutscht: die Frau Richterinn ist abgereist.

„Hier bin ich sehr zufrieden,“ schrieb neulich ein Hagestolzer, der von Berlin nach Perleberg in der Mark gezogen war, „ich „wohne ganz vor mir, und koche mich „selbst.“

Im Jahrgange 1809 des allgemeinen Anzeigers wurde ein geschickter, hinlänglicher und mögligst lediger Müller gesucht.

Bei Erbleihbriefen über Kornmühlen bediente man sich stets bei der Cammer zu Schilda, um der Genauigkeit willen, des Ausdrucks: Mehl-Mahl-Mühle.

Ein Buchhändler machte folgende Anzeige: Weihnachtgeschenke für unsere Kinder, welche in allen guten Buchhandlungen sowohl brochirt, als in Rück und Eck gebunden zu haben sind. Auch nehmen alle löbl. Postämter darauf Bestellungen an.

Ein Rentmeister setzte unter eine Rechnung von zwei Fruchtwendern, welche mehrere Tage auf dem herrschaftlichen Kornboden gearbeitet hatten, folgendes Attestat: Vorstehende Tage sind richtig geschehen. Wird beschienen.

Der Secretär trug das Gesuch der Eva F. um Erlaß der Fornicationsstrafe auf folgende Weise ins Protocoll: Fornicationsgesuch der Eva F.

Oberon König der Elfen, der Titel eines bekannten Schauspieles, wurde übersetzt: Oberon Roi l'onzième.

Ein Schuster in Berlin hatte über seiner Hausthüre einen Schild mit den Worten: Meister Müller macht Kinder- und Mannsschuhe.

Ein Pater, der zugleich Lehrer der Redekunst war, befahl seinen Schülern, damit sie desto größere Fertigkeit in der Lateinischen

Sprache erlangten, daß sie auch im Beichtstuhl ihr Bekenntniß Lateinisch thun sollten. Einer dieser Schüler bekannte ihm eine wider das sechste Gebot begangene Sünde mit folgendem echt lateinischen Ausdruck: Pater, rem habui cum virgine.

Einige artige Damen, welche auf einer genialen Fußreise durch die Bergstraße begriffen waren, ergötzten sich lange an dem pittoresken Anblick einer Burgruine, welche zwischen romantischen Felsenpartieen und schönem Buschwerk hervorragte. Um das Bild ihrem Gedächtnisse recht lebhaft einzuprägen, wünschten sie den Namen der zerstörten Veste zu wissen. Ein vorübergehender Landmann wurde gefragt. „Ja," sagte Hans, „das Schloß schreibt „sich Windeck."

Das Oesterreichische Dienstreglement schrieb als Neuerung vor, daß die Officiere die Corporals nicht mehr Er, sondern Sie nennen sollten. Bei Gelegenheit als ein Hauptmann durch ein Versehen des Corporals sich zu einem Verweis veranlaßt fühlte, und zu diesem sagte: „Er ist ein grober Esel!" erwiederte der Corporal: „Sie verzeihen, Herr Hauptmann, „nach dem Reglement muß es heißen: Sie „sind ein grober Esel."

Der edle Fürst *** gab aus seiner Chatoulle eine bedeutende Summe zur Unterstützung der ärmern Bürger in *, welche die Verpflegung der bei ihnen einquartirten fremden Truppen nicht mehr aus eignen Mitteln zu bestreiten vermochten. Die Landesregierung forderte von dem Bürgermeister, und dieser wieder von den Rathsherrn Listen von denjenigen Einwohnern, welche auf jene Wohlthat vorzugsweise Anspruch hätten. Hr. Engel, einer des wohlweisen Rathes, überschrieb die von ihm eingereichten Listen: Specification derjenigen Bürger im vierten Quartier, welche ganz und gar unfähig sind.

Ein Prediger hatte zum Passionstext die Erzählung genommen, daß die Jünger Jesu im Garten Gethsemane eingeschlafen wären. Um seinen Zuhörern dieses anschaulich vorzustellen, ließ er, als eben der Hauptbeweis folgen sollte, mit einem Male den Kopf langsam sinken, und die Augen allmälig zufallen, als ob er schlafen wollte. — Es entstand statt des gehofften Eindrucks ein allgemeines Gelächter.

In einer Schrift, Skizzen und Ergüsse über Kanzelvortrag heißt es bei dem Abschnitt: an schicklichen Orten eine Pause zu machen, unter andern: „Es gibt ein heroisches Mittel, die gänzlich gestörte Aufmerksamkeit wieder zu beleben. Es ist ein Medium territorium, dessen sich besonders ältere Prediger und auf dem Lande bedienen, wenn zu viel Geräusch in der Kirche ist. — Sie halten auf einmal im Predigen ein, und sehen nach dem Orte hin, woher das störende Geräusch kommt, so lange, bis es still ist. Wir wollen das Mittel durchaus nicht verwerfen. Aber auf alle Fälle gehört es in die Lehre von der Kirchendisciplin." Wahrscheinlich ist dieß in der Verfassers Lande üblich, demungeachtet aber wird es durchaus nicht heroisch gefunden werden können.

20.

Erfindungen.

Die Academie zu Krähwinkel gab kürzlich folgende beide Preisfragen auf:

1) Erfindung einer Kanone, mit welcher man um eine Ecke herum schießen kann

2) Erfindung einer Regenmaschine, vermittelst deren sich, mit möglichst geringem Kostenaufwande, ein Ländchen von ungefähr 20 Quadratmeilen sattsam durchnässen läßt.

Im vorigen Jahre soll in London eine kleine inventiöse Maschine erfunden worden seyn, welche gleich einem Uhrwerke aufgezogen, sodann, nachdem der Bart gehörig eingeseift worden, an diesen gesetzt wird, und nun, vermittelst eines eignen sehr sinnreichen Mechanismus mit unglaublicher Geschwindigkeit sich selbst bewegt, und alle Haare rein abrasirt. Der Erfinder hat ein Patent für 10 Jahre erhalten. Wie weit es doch der menschliche Witz nicht bringt!

Bei dem Kunsthändler Hubrich Gratfus zu Fz. waren vor zwei Jahren zu haben:

a) Eine Repetirsonnenuhr von Silber;

b) eine dergleichen, welche sechs Lieder spielt, und unter andern auch: wie groß ist des Allmächtigen Güte;

c) eine dergleichen von Porcellain, an einen Reisewagen zu schrauben.

Doctor Gall soll kürzlich einen höchstmerkwürdigen Schädel entdeckt haben, der auf der einen Seite totale Narrheit zeigt, während auf der andern ein hoher Grad von Geschicklichkeit angedeutet ist, so daß, wenn jener Theil Dummheit in Wort und That zu Markte brachte, dieser sich darüber tief gekränkt fühlte, ohne es hindern zu können. — Man will behaupten, der Schädel sey früherhin Eigenthum eines noch lebenden Professors in J... gewesen.

Ein naturphilosophischer Professor beschäftigte sich mit den Chladnischen Versuchen, und hatte eines Tags Mehl auf die Glasscheibe gestreut. Ein Besuch störte ihn in seinen Versuchen, und er legte die Scheibe bei Seite. Des andern Tags erblickt er zu seinem Erstaunen auf der Platte Figuren, welche Chladni nicht entdeckt, die der Naturphilosoph aber gesucht hatte. Voller Freude theilt er seinen Fund allen Bekannten mit. Man kommt, sieht, wundert sich. Endlich kommt auch ein Müller, um das Wunder im Mehl in Augenschein zu nehmen, betrachtet die Glasscheibe von oben und unten, schüttelt bedächtig den Kopf, und ruft: Mein Gott, die Milben haben dem Herrn Professor vorgegriffen, und diesen Versuch gemacht. Ihnen gebührt die Ehre der Entdeckung.

A. Sie kennen den berühmten Orgelspieler

B. Dieses Mannes grosses Interesse an der Tonkunst beweißt sich dadurch, daß er in den Gesellschaften eine Tabatiere vorzeigt, welche 15 Mozartische Sonaten spielt. Der Effect ist ausserordentlich; ich selbst habe es gehört.

B. Ich würde von Ihrer Seite, mein Herr, einen Scherz vermuthen, wären mir nicht die Fortschritte der Mechanik in der neuern Zeit bekannt. Man verfertigt jetzt Ringe und Pettschafte, welche, gemeinschaftlich an der Taschenuhr getragen, ein treffliches Horn-, Hautbois- und Flötenconzert hören lassen. In dem einen ist das Allegro und Rondo, in dem andern das Adagio angebracht.

A. Schön, in Wahrheit schön! indessen gehört diese Erfindung nicht der neuern Zeit. Schon Philipp der III. von Spanien, ein grosser Tänzer, hatte ein Ballkleid, in welchem er Solo tanzte, das mit Knöpfen voll musicalischer Instrumente besetzt war. Bei der ersten Bewegung des Fusses erklang durch die Erschütterung geweckt und unterhalten ein vollständiges Orchester, und endete mit der Ruhe des Königes.

B. Man sagt diese Erfindung sey die Folge des Königlichen Stolzes, der es unter der Würde eines Monarchen, in dessen Reiche nie die Sonne untergeht, hielt, sich von gemeinen Leuten etwas vorgeigen zu lassen.

Unsinn.

Als die Grafschaft *** mit der alles wandelnden Zeit in ein Fürstenthum übergegangen war, ließ der vormals gräfliche, jetzt fürstliche Polizeidirector das Geschäftssiegel ändern. Der Pitschierstecher Isaak übergab folgende Nota:

„Für abEnderung Fürstlicher Polizeidirection
„in Stahl à 6 fl.“

Herr S—m—r in D— wurde von seinen Freunden eingeladen, das Concert im rothen Bock zu besuchen, wo unter andern ein Taubstummer ein Bravourarie singen werde.

Ein Capuciner wollte in einer Fastenpredigt seinen Zuhörern die Vergänglichkeit dieses Lebens und den oft schnellen Uebergang vom Leben zum Tode recht lebhaft vor Augen bringen, und sagte unter andern auch: „Bedenket doch, lieben Brüder! daß sich mancher oft des

Abends frisch und gesund zu Bette legt, und am andern Morgen — ach! da steht er todt wieder auf."

Handbillet eines Edelmanns an den Oberförster Bommerfeld:

Bitte nicht übel zu deuten Puncto Jagdtasche, Halfterrimen schön Compliment steh wieder zu Dienste.

Das Gasthaus zum König Salomo in Schilda kennt jedermann, so wie die Zwiebel, eine Auberge geringerer Qualität, welche demselben gegenüber gelegen ist. Als nun der Wirth zum König Salomo den hochweisen Herrn renoviren ließ, hielt es der Zwiebelwirth für gerathen, auch seiner Seits nicht unthätig zu bleiben. Von daher kann man noch heut zu Tage folgenden Denkspruch über dessen Hausthüre lesen:

„Hier üben in der Zwiebel
„Logirt man auch nicht übel.“

Ein Storch spazirte auf den Kornfeldern der Stadt Bopfingen herum. Noch nie hatte man in dortiger Gegend ein solches Unwesen gesehen, und eine panische Furcht ergriff alle Bewohner. Die Frage entstand, wie man am besten das langbeinige Thier aus dem Felde zu verscheuchen vermöchte? Der hochweise Rath deliberirte, und beschloß endlich per unanimia, um nicht durch den Flurschützen die Frucht vertreten zu sehen, diesen durch zwei Mann hin-eintragen zu lassen, damit er den Storch verjage.

Auf dem Rathhause zu Schöppenstedt werden nachfolgende Reliquien und Raritäten aufbewahrt: Ein Stück von der Himmelsleiter, welche Jakob im Traum gesehen; ein Bündel von dem Heu, wovon der Esel des Heilandes in Aegypten gefressen; ein Stück von der Aegyptischen Finsterniß; das Schwert womit Petrus dem Malchus das Ohr abgehauen, nebst dem untern Theile des abgehauenen Ohrläppchens; ein kleines Stück von dem Regenbogen nach der Sündfluth. NB. Letzterer Artikel ist in Spiritus und Glas.

Der Galgen bei der seligen Reichsstadt N. steht, wie jeder auch nur mittelmässiger Geograph weiß, unfern vom Thore und so dicht an der Haselburger Grenze, daß zur Zeit der

Erbauung jenes nützlichen Denkmals nicht nur wichtige Rechtshändel statt hatten, sondern der Rath zu Haselburg, um seine Landeshoheit unverletzt zu erhalten, einen kurz nachher zum Strang verurtheilten Dieb daran wollte aufhängen lassen. Aber der Regierende zu Y. durch den ehrenrührigen Antrag wie natürlich in hohem Grade entrüstet rief: „Was? An „diesen stattlichen Galgen, den wir „für uns und unsere Kinder er„baut haben? — Nimmermehr!“

23.

Gasconnaden.

Ein Preußischer Officier wurde als Courier im Jahr 1799 von Berlin nach Cassel geschickt, und renomirte dort auf eine entsetzliche Weise. So erzählte er unter andern, er habe den Weg von Halberstadt bis Cassel in drei und drei Viertel Stunden zurückgelegt, wobei er nach echt militärischem Brauch, zur grösseren Wahrscheinlichkeit der Sache, seine werthe Person allen Teufeln verhieß. Die Hessischen Officiere ärgerten sich nicht wenig über diese und ähnliche Gascognaden. Endlich wurde dem Windfang eine Beschämung zugedacht, und er zu einem Gastmahl in die Stadt Stralsund eingeladen. Der bekannte geistvolle Major, Herr von M........n, hatte die Abfertigung übernommen. Nachdem der Reuter abermals das Mährchen von seiner geschwinden Reise aufgetischt hatte, sagte Herr von M.: „das ist in der That sehr auffallend, indessen „kann ich Ihnen etwas erzählen, was mir im

„vorigen Herbste begegnet ist, welches eben so
„unglaublich scheint, und doch eben so wahr ist.
„Ich war nämlich zu einem meiner Freunde,
„welcher auf einem Landgute unweit Göttingen
„wohnt, mit einem Urlaub von wenigen Tagen
„kurz vor dem grossen Herbstmaneuver ge=
„reist. Noch am letzten Abend, ehe ich meinen
„Freund wieder verlassen mußte, hatte derselbe
„mir zu Ehren einen Ball veranstaltet. Hier
„galt keine Ausrede, ich mußte bleiben, und bis
„nach Mitternacht tanzen. Endlich schlug die
„entscheidende Stunde, ich setzte mich auf mein
„Roß, einen Englischen Wettrenner, der zwar
„etwas bei Jahren war (denn mein Vater hatte
„ihn noch von Friedrich dem Einzigen zum Ge=
„schenk erhalten), demungeachtet aber noch so
„schnell lief, daß ich Morgens um vier Uhr
„zum Thore von Cassel hineinritt. Nun machte
„mich nichts verlegen, als mein Bart. Ich
„war in zwei Tagen nicht rasirt worden, und
„konnte mich so nicht zeigen. Mein Diener
„mußte in aller Eile nach einem Bader laufen.

„aber meine Augenblicke waren gezählt, und die
„Ungeduld, die Besorgniß trieben mich vor
„den Spiegel. Wie erstaunte ich, als ich mich
„vollkommen glatt fand, gerade so, als wäre
„mein Bart auf frischer That behandelt worden.
„Mir war diese Erscheinung anfangs ein Räth-
„sel"…. „Und wie erklären sie sich die Sache
„jetzt?" — „Der kalte Morgenwind auf der
„Höhe von Münden hatte mich barbirt,"
schloß M., „vermuthlich derselbe, der unsers
„Freundes Roß von Halberstadt bis hieher so
„wacker spornte."

Baron von Och. rühmte sich aus einem so alten Geschlechte zu seyn, daß er noch die Interessen von einem kleinen Capital bezahle, welches seine Vorfahren geborgt hätten, um bei der Geburt des Heilandes der Welt eine Reise nach Bethlehem zu machen.

Zu Paris sprach ein Gascogner auf der Straße mit einem Bürger, und rühmte ihm die Schärfe seines Gesichtes. „So wahr ich „ehrlich bin," sagte er zu ihm, „ich sehe von „hier, dort oben auf dem Thurme, eine Maus „laufen." — „Ich sehe sie wohl eben nicht," gab ihm der Bürger zur Antwort, „aber ich „höre sie trappen."

Ludwig XIV. hatte einem Officier aus der Gascogne ein Geschenk von fünfhundert Thalern gemacht. Dieser ging zu Herrn Colbert, um ein Zahlungsmandat zu erhalten. Colbert saß eben mit drei bis vier Gästen bei Tische, und speiste. Der Gascogner trat, ohne sich anmelden zu lassen, in den Saal, näherte sich der Tafel, und rief: „Meine Herren, mit Euerer „Erlaubniß! welcher von Euch ist Colbert!" — „Ich bin es," antwortete Colbert, „was „ist zu Euern Diensten?" — „Ei, eben nicht „viel," versetzte der Gascogner, „nur eine „kleine Ordre vom Könige, daß Ihr mir fünfhundert Thaler sollt auszahlen lassen." Der Minister, welcher sich herzlich über diese Originalität freute, nöthigte den Officier zum Niedersitzen, und sagte, daß er ihm nach der Tafel das Geld auszahlen wolle. Der Gascogner ließ sich nicht zweimal bitten, sondern setzte sich sich sogleich nieder, und genoß für Viere. Nach der Tafel kam ein Secretär, nahm den Officier mit sich in das Bureau, und zahlte ihm hundert Pistolen aus. Der Gascogner sagte, daß ihm hundert und funfzig gehörten. „Es ist „wahr," entgegnete der Secretär, „aber ich „behalte funfzig für Eure Mittagsmahlzeit." — „Ei, zum Henker, funfzig Pistolen für ein „Mittagsessen! Ich gebe in meinem Gasthofe „nicht mehr, als zwanzig Sous." — „Ich „glaube es wohl, aber Ihr speist da nicht mit „dem Herrn von Colbert, und eben diese Ehre „ist es, die Ihr bezahlen müßt." „Nun gut," erwiederte der Gascogner, „wenn es denn so „ist, so behaltet nur das ganze Geld; es verlohnt sich nicht der Mühe, daß ich hundert „Pistolen nehme; ich will morgen wieder hier „speisen, und noch einen guten Freund mit-

„bringen, so ist unsere Rechnung abgethan.“ Man erzählte diesen launigen Einfall dem Minister. Er lachte, und ließ dem Officier seine fünf hundert Thaler auszahlen.

Ein Officier von grossem persönlichen Muthe, aber nebenbei ein gewaltiger Aufbinder, schoß in einem Scharmützel eine Pistole auf einen feindlichen Husaren los. Er rühmte sich sogleich gegen einen seiner Cameraden mit dieser That, und sagte, daß der Mann gefallen sey. Dieser sahe sich um, und sagte: „das „ist nicht möglich, denn ich sehe ja keinen „Todten dort liegen.“ — „Sehr natürlich,“ entgegnete der Officier, „weil ich ihn zu Staub „geschossen habe.“

Als man sich über einen Gascogner verwunderte, daß er so zitterte, da er seine Waffen ergriff, sagte dieser: „Mein Leib zittert aus „Furcht vor den Gefahren, in welche ihn,

„wie er voraussieht, mein Muth bald stür-
„zen wird.“

Die Rozinante eines Landmannes aus der Gascogne, welcher in die Stadt ritt, drohte vor Mattigkeit jeden Augenblick umzufallen. Als er auf den Markt kam, schrie er aus Leibeskräften: „Haltet auf! Haltet!“ — „Bist du „nicht ein Narr!“ sagte ein Vorbeigehender, „dein Pferd soll man aufhalten, das Thier hat „ja kaum die Wegsteuer.“ — „Eben deßwe-„gen,“ versetzte jener, „ich befürchte, daß es „umfalle, und darum sollt ihr mir es auf-„halten.“

Ein Gascogner war durch mancherlei Unglücksfälle bis zum Wasserträger in London herabgesunken. Einstmals begegnete ihm einer seiner Landsleute an den Ufern der Themse, und versicherte ihm seine herzliche Theilnahme. „O „du Narr!“ versetzte jener, „ich bin gewiß „reicher, als du, denn ich habe für mehr als

„zehntausend Pfund Waaren.“ — „Nun,
„wahrhaftig! das ist mir unbegreiflich.“ Der
Gascogner führte ihn hierauf an die Themse.
„Hier,“ sagte er, „in diesem Fluß sind mehr
„als für zehntausend Pfund Waaren. Da ich
„aber noch keinen gefunden habe, der mir dieß
„Wasser en gros abnehmen will, so bin ich
„freilich vor der Hand gezwungen, den De-
„tailhandel noch fortzusetzen.“

Der Marschall von Bassompierre ließ sich
von einem Officier einen Bericht seiner Hel-
denthaten machen. Unter andern sagte dieser,
daß er in einem Seegefechte dreihundert Menschen auf einem einzigen Schiffe umgebracht
habe. „Und ich,“ sagte der Marschall, „als
„ich in der Schweiz war, kroch durch einen
„Camin, um eine schöne Nachbarinn zu besu-
„chen.“ Der Gascogner behauptete, daß es
nicht möglich sey, weil in diesem Lande keine
Camine wären. „Ei, mein Herr,“ erwiederte
der Marschall, „ich habe Sie dreihundert

„Menschen auf einem Schiffe umbringen lassen,
„lassen Sie mich in der Schweiz nur ein ein-
„zigmal durch einen Camin kriechen, um zu
„einer schönen Frau zu gelangen."

Ludwig XIV. hielt Heerschau über seine Truppen im Lager bei M. Ein Gascogner verlor seinen Huth; sein Hintermann durchstach denselben, hob ihn so auf, und gab ihn seinem Eigenthümer zurück. „Bei meiner Ehre," sagte dieser, „ich wollte lieber, du hättest mir „den Leib durchstochen, als den Huth." Der König hörte diese Worte, ließ den Gascogner vor sich kommen, und fragte ihn um die Ursache dieses seltsamen Wunsches. „Sire," sagte er, „ich habe wohl Credit bei dem Wund-„arzt, aber bei keinem Huthmacher."

Ein Gascogner hatte einen andern zu einem Duell aufgefordert, und war der erste, der sich auf dem Kampfplatze einfand. Er sahe hier einen Soldaten auf- und niedergehen, und bildete sich ein, daß dieser sein Mann sey. Als er aber fand, daß er sich irrte, und zugleich überlegte, daß ein Dritter ihm in seinem Vorhaben hinderlich seyn könnte, so befahl er ihm in einem gebieterischen Tone, sich zu entfernen. Der Soldat antwortete ihm gleichfalls sehr barsch und so kam es bald von Worten zu Thaten. Unterdessen traf auch der zum Zweikampf Aufgeforderte ein. Da er seinen Gascogner schon beschäftigt sahe, so setzte er ihn zur Rede, aus welchem Grunde er ihm sein Wort nicht hielte, und sich mit einem andern schlüge, ehe er ihm Genugthuung gegeben. „Du Narr," antwortete ihm der Gascogner, „die Zeit ward „mir zu lang, ich habe unterdeß mir nur „einige Bewegung machen wollen."

. . . . ich hätte auf nichts getreten.

Hyperbeln.

Oberst von F. beklagte sich, daß er nun seit 30 Jahren Whist spiele, und noch nie einen Trumpf gehabt habe. Aber wie ist das möglich, fragte Jemand, so oft Sie Karten gaben, schlugen Sie sich ja selbst einen Trumpf auf! — Ich habe mich, betheuerte der Kriegsmann, Gott straf mich, jedesmal vergeben.

Töffel, des reichen Bauern Jürgen Sohn, kam von seinen Reisen zurück. Mit offnem Munde sassen die Bauern in der Schenke, hörten, und faßten begierig auf, was der Erfahrne von seiner Weltkunde und den gesehenen Wundern auskramte. „Ja," so schloß Töffel, „das könnt ihr mir sicherlich glauben, bis an „der Welt Ende bin ich gewesen, noch „einen Schritt, und ich hätte auf „Nichts getreten."

Dr. M.....s, ein eifriger Verehrer Galls, behauptete, er könne durch einen blossen Blick auf einen, jeden sich ihm darstellenden Kopf erkennen, in welcher Stadt der Eigenthümer desselben geboren sey. So habe er einst im H.......g einen hereintretenden Fremden sogleich für einen Staatsrath aus C. erkannt, wozu aber freilich die namhafte Frisur und der groteske Huth etwas beigetragen hätten.

Herr de Col, ein bekannter Aufschneider, hatte eine Reise nach Rußland gemacht, und erzählte bei seiner Zurückkunft mit unnachahmlicher Dreistigkeit, die Kälte sey so arg gewesen, daß ihm hinter Petersburg schon die Augen zugefroren wären, und er solche erst in Moskau durch Aufschläge von lauer Milch habe aufthauen können.

In dem neuesten Hefte des Museum des Wundervollen, einer sehr geschätzten periodischen Schrift, wird erzählt: Zwei erzürnte

Bären hätten einander so rein aufgefressen, daß am Ende des Streits von allen beiden nichts übriggeblieben sey, als ein kleiner Haufen Haare.

Ein Amtmann erhielt den Auftrag sich wegen Vertauschung eines Dorfes gegen einen im angrenzenden Reviere gelegenen Ort mit dem jenseitigen Beamten zu benehmen. „Bewahre mich Gott vor dem Neste,“ sprach er zu diesem nach vorgenommener Localbesichtigung, „dort wird so schlechte Frucht gezogen, „daß es in einer Stube sogleich Nacht wird, „wenn man nur einen Laib Brod anschneidet!“

Ein Reisender erzählte, daß er alle vier Theile der Welt durchstrichen habe, und unter den Seltenheiten, hier und da, habe er zu Darmstadt eine angetroffen, deren noch kein Schriftsteller Erwähnung gethan. Dieses Wunder sey eine Kohlstaude so groß und hoch, daß unter einem Blatte funfzig bewaffnete Reuter sich ganz bequem in Schlachtordnung stellen, und eine Evolution machen konnten. Einer der Zuhörer hielt die Sache für sehr merkwürdig und sagte mit der größten Gelassenheit, daß er auch gereist und bis nach Japan gekommen sey, wo er mit Verwunderung mehr als 300 Kupferschmiede an einem grossen Kessel arbeiten gesehen habe; fünfhundert Menschen steckten inwendig darin, und mußten ihn glatt machen. — „Wozu sollte denn dieser ungeheure Kessel?“ fragte der Reisende. — „Ohne Zweifel wollte „man den Kohl darinnen kochen, von dem Sie „uns erzählten,“ war die Antwort.

In der Legende des H. Hilarions liest man, daß er bei Ragusa einen gewaltigen Drachen, ja sogar einen Ochsen verschluckt habe, der nach dem Zeugnisse des Kirchenvaters Hieronymus 35 Ellen lang war.

Wer je durch Butzbach gereist, und bei dem Herrn B....r eingekehrt ist, weiß, daß man daselbst in der Regel über den Löffel barbirt wird. Einst hatte Herr Felix, der Rasirende, das Instrument verlegt, und fuhr nun einem Reisenden mit dem Daumen zum Munde hinein. „Halt!“ rief der Leidende auf einmal. „Er schneidet mich ja. Gott welcher Schmerz!“ — „Was reden Sie von Ihrem Backen,“ replicirte der Chirurg, „da sehen Sie meinen „Finger!“ Und in Wahrheit, der Daumen war durch und durch geschnitten.

„Bei Vicenza, log ein Reisender, fand ich ein Echo, das neun und neunzigmal wiederhallte.“ — „Das ist eine Kleinigkeit,“ antwortete jemand, „auf meinem Gute ist eines, — wenn ich dem zurufe: Guten Tag, „Miß Echo! so antwortet es: Ich bedanke „mich, Herr Baron!“

Auf einem abgelegenen Dorfe versah ein Bergmann das Geschäft des Raseurs. Nun mußte aber unser Chirurg in Erbschaftsangelegenheiten auf einige Zeit verreisen. Welche Noth mit den Bärten, da er der einzige Kunsterfahrne war! Zumal der Amtmann und der Pfarrer waren fast in Verzweiflung. Endlich kam der sehnlich Erwartete zurück, und man erzählt, daß der Amtmann, um seiner recht froh zu werden, sich gleich am ersten Tage habe dreimal barbiren lassen.

Man erzählte in einer Gesellschaft, daß Jemandem vor Schrecken in einer Nacht alle Haare grau geworden wären. „Das ist nichts," erwiederte ein Anwesender, „mir wurde einmal „vor Angst in einer Minute die Peruque weiß."

Der bekannte Abt Vogler soll einst auf der Orgel in der Johanniskirche in Göttingen ein Donnerwetter so natürlich nachgeahmt haben,

daß die Milch in der ganzen Stadt davon sauer wurde.

Auszug aus einem glaubhaften Reisebericht.

Ich nahm unweit Petersburg einen Schlitten mit einem Pferde bespannt. Als ich nun durch einen dicken Wald fuhr, kam ein erschrecklich grosser Wolf hinter mir her gelaufen. Er holte mich bald ein, und ich sah wohl, daß ich nicht würde entfliehen können. Ich legte mich also platt im Schlitten nieder; meine List gelang vollkommen. Der Wolf setzte über meinen Kopf weg, gerade auf mein Pferd zu, und fing an es von hinten zu aufzufressen. Ich richtete mich im Schlitten in die Höhe, und sah diesen Spectakel mit an. Endlich als der Wolf schon an der Brust des Pferdes war, und sich auf diese Art in das Geschirr hinein gefressen hatte, schlug ich mit aller Gewalt mit der umgekehrten Peitsche auf ihn zu; er erschrack, sprang vorwärts, der Rest des Pferdes stürzte hin, der Wolf war im Geschirr, und konnte nicht zurück, ich peitschte immer stärker auf ihn los, er lief wie rasend fort, und so fuhr ich mit ihm in Petersburg in den ersten besten Gasthof hinein.

Soll ich denn da oben hängen bleiben?

25.

Judenwitz.

Ein in der edlen Reitkunst nicht erfahrner Jude bestieg ein Roß, welches scheu wurde, und seinen unzulänglichen Bändiger mit einem Luftsprung herunter warf. Die Umstehenden lachten. — „Mei," sagte der Jude, „was utzt ihr „euch, ich kann doch nicht da obe hänge „bleibe."

„Neun Procent und nicht geringer," sprach Salomo, der Jude, zu einem jungen Libertin, der sich mit seinen Finanzen überworfen hatte. Und dabei schrieb er mit Kreide die Zahl 9 an seine Stubenthüre. „Aber," erwiederte der Geldbrauchende, „Salomo seyd doch nur „einigermassen billig, Gott im Himmel muß „sich ja über Euere Spitzbuberei ärgern, wenn „er den Neunter sieht." — „Gott behüt," entgegnete der beschnittene Calculant, „er guckt

„doch von oben herunter, und da sieht er den 9.
„für einen 6. an.“

Ein vormals reicher Fabricant zu Elberfeld legte sich, als sein Geschäft zu sinken begann, auf den Pferdehandel, und fallirte bald nachher. „Gott soll jeden ehrlichen Mann vor Speculationen, die Mäuler haben, behüten,“ sagte sein Nachbar, ein Jude.

„Sonderbar daß man nichts mehr vom
„General C—r—t hört!“ sagte während des Revolutionskrieges Herr M. „Gott behüt!“ entgegnete ein anwesender Jude, „was sollen
„Sie von dem hören? Der ist doch wie eine
„Trommel, wenn er nicht geschlagen wird,
„macht er kein Lärmen.“

Ein Jude, der gestohlen hatte, wurde an den Pranger gestellt, der unmittelbar unter dem Rathhause angebracht war. Das Volk neckte ihn. „Nu wie kommt ihr mir vor,“

sagte er, „wenn's die Herrn da obe „haben wollen, müßt ihr auch daher „stehn.“

„Die Heurath gleicht einem Rechnungsexempel,“ sagte ein Jude bei der Vermählung des 61jährigen Professors N. mit der 18jährigen Mademoiselle F. „61 in 18 kann ich nicht, ich muß mir Eins leihen.“

Ein artiges Judenmädchen stieg einer Leiter hinauf. „Habe sie Acht, Jungfer,“ warnte ein Vorübergehender, „sie könnte einen Mißfall bekommen.“ — „Wi könnte ich einen Mißfall kriegen,“ sagte das Mädchen, „ich habe ja noch keinen Einfall gehabt!“

In A.... wurde ein Jude verurtheilt am Spiesse sein Leben auszuhauchen. Er brachte das seltsame Gesuch vor, daß man jene Strafe in die weit schimpflichere des Räderns umändern möge. Und aus welchem Grunde? — Weil er zu kitzelig wäre, und das Spiessen nicht glaube vertragen zu können.

Ein Jude besuchte eine Zeitlang ein Weinhaus sehr regelmäßig. Auf einmal stellte er diese Gewohnheit ein, und blieb zwei Schoppen schuldig. — „Herr W......r," sagte der Wirth als sein Schuldner eines Tages am Hause vorbeistrich, „die zwei Schoppen stehen noch?" — „O schütten Sie sie aus," replicirte der Jude, „der Wein wird sonst „sauer."

Doctor Blume zu Hannover war schwächlich und stürmte durch vieles Trinken zu sehr auf seine Gesundheit ein, daß er schon im dreissigsten Jahre starb. „Schad' für den braven Herrn," war die Bemerkung eines Juden, „es war ein zartes Blümchen, aber es hat sich „zu naß gehalten."

Ein Jude, der von Mainz nach Frankfurt fahren wollte, und sehr eilig war, bat den Postmeister um 2 Pferde. Nehmt doch viere, sagte dieser, so kommt ihr in der halben Zeit hin. „Lassen Sie lieber acht anspannen, Herr Postmeister,“ sagte der Jude, „so brauche ich gar nicht fortzufahren.“

Die Soldaten des Fürstlichen Contingents zu Bückeburg erhielten bei ihrem Abmarsch zur Reichsarmee vor der Schlacht von Kunnersdorf rauhlederne ungewichste Schuhe als Montirungsstücke. „Warum die Leute wohl braune Schuhe bekommen,“ fragte ein Bürger bei der Austheilung. „Nu,“ meinte ein Jude, „die Wichs werden sie schon da droben kriegen.“

Eine geistvolle Jüdinn ging einst im Thiergarten mit einer Dame, welche dem lutherischen Glauben zugethan war, spaziren. Ein Bettler flehte sie an, um der Wunden Christi willen, ihm ein Allmosen zu reichen. Die Christinn suchte in ihren Taschen. — „Nicht doch," rief die Jüdinn, „die Wunden muß ich bezahlen. Sie werden sich ja wohl aus der Anecdote von Christus erinnern, wer sie geschlagen haben soll?"

Auf dem Marktschiffe, welches täglich von Frankfurt nach Mainz fährt, befand sich auch ein armer Jude. Seine ganze Baarschaft waren 12 kr., viel zu wenig um das Schiffsgeld zu bezahlen. Vergebens bemühte er sich durch Erzählung von Schnurren, Anerbieten zum Taschenspielen 2c. der Reisegesellschaft einiges Geld zu entlocken. Die Schiffspatroninn mahnte ihn, als man dem Bestimmungsorte näher kam, etwas derb, und machte dadurch das Mitleiden einiger Mitfahrenden rege. Der Jude schlug vor, er wolle ein Räthsel aufgeben, und wer es nicht zu lösen vermöchte, solle 12 kr. bezahlen. Folgendes war das Räthsel: Wenn man einen Häring nimmt, und ihn der Länge nach in zwei Hälften zerreißt, wie kann es zugehen, daß den

Häring in beiden Hälften noch ganz ist. — „Ich weiß es nicht,“ sagte der Erste der Rathenden, und zahlte 12 kr. Die übrigen vermochten das Räthsel eben so wenig zu lösen, und hinterlegten gleichfalls ihren Tribut. Zuletzt kam die Reihe auch an den Juden. „Nu ich weiß es ach net,“ sagte der Hebräer, „hier ist auch mein 3 Bätzner.“ — Versteht sich, daß ihm der Lohn seines Witzes wurde,

---

Ein reicher Bauer hatte drei Töchter. Gürge übertrug einem Juden des Orts, berühmt durch seine Verschmitztheit, das Geschäft der Freierei. Es galt ihm gleich, welche von den Schönen ihn mit ihrer Hand beglücken würde, genug, daß jeder derselben ein Drittel der väterlichen Habe zu Theil wurde. Der bärtige Freibewerber brachte sein Wort an, wurde aber von dem Vater sehr übel aufgenommen. „Was“ sagte dieser, „Gürge, der Tölpel, der Lump! Marsch, oder ich breche Euch den Hals.“ Der Jude ging seinem Mandanten aus dem Wege, endlich aber wurde Gürge seiner habhaft. „Nun „wie steht es, was sagte der Alte?“ — „Alles „Liebs und Gutes. Aber es ist 'n Schaude. „Ihr gefallt ihm, gefallt ihm sehr, aber er „will die drei Mäderchen neť von e sammen „geben. Nu was thu' ich darmit, mit alle drei „kennt' ihr doch net Casme machen (Hochzeit „halten).“

Ein Hebräer wurde wegen verübter Schelmstreiche zum Abschneiden der Ohren verurtheilt. Als der rothe Mann alle seine Facultätsmeubeln zurecht gelegt hatte, und ihm die Haare zurückschlug um zur Operation zu schreiten, fand er zu seinem Erstaunen, daß der Delinquent bereits früher um diesen Schmuck seines Hauptes gekommen war. Er gab ihm eine handgreifliche Ermahnung, aus Aerger wegen seiner getäuschten Hoffnungen. — „Nu,“ sagte der Jude, „kann man denn vor euch Schelmen etwas behalten?“

Ein Erzgauner von einem Juden beging einen Diebstahl, und wurde zum Lohn auf seiner Kehrseite mit Galgen und Rad decorirt, und freundnachbarlich wieß man ihn dem angrenzenden Staate zu. Auch hier hielt er sich nicht kauscher, und sollte mit dem Staubbesen regalirt werden. Er wendete alles an, um den rechtlichen Absichten zu entgehen, welche man mit ihm hatte. Aber vergebens! Bei der Execution erstaunte der Richter, und fragte ihn, wie er, bei den Zeichen welche er trage, noch hätte so unverschämt seyn, und auf seinen ehrlichen Namen pochen können. „Nu,“ sagte der Jude, „wer kann vor Gewalt, sie haben mir das Wappen gegen meinen Willen aufgedruckt.“

„Welch ein Unterschied ist zwischen den Kin„dern und der Reichsarmee,“ fragte ein witziger Jude im siebenjährigen Kriege. Niemand wußte zu antworten. „Nun,“ sagte der Hebräer, „wenn die Kinder geschlagen werden,

„so schreien sie, die Reichstruppen hingegen „sind Mausestill, wenn sie Schläge bekommen.“

„Thuan,“ sagte ein Jude, als die preußischen Mauthbeamten in dem Städtchen E. ankamen, und durch ihre Regsamkeit die Betriebsamkeit der Speculanten in etwas gehemmt worden, — „Thuan heißt Ihr die Leute, Gott behüt! heißt sie doch Thuaus.“

Auf der Friedrichsstraße zu Cassel stand der Obrist H. auf einem Balcon, und rief dem vorbeigehenden Juden Feidel, mit welchem er in Verwandtschaftsverhältnissen wär, zu: „welch' ein Unterschied ist zwischen einem Juden und einem Esel?“ — „Der Balcon, Ihro Excellenz, nur der Balcon,“ replicirte der Freund.

In dem Revolutionskriege hatte ein Jude beträchtliche Lieferungen an Heu für die preußische Armee gemacht, ohne seine Zahlung erhalten zu können. Er wandte sich zuletzt an den Minister und Generalkriegscommissär von X., und bat um Auszahlung seiner Forderung. Der Minister liess ihn lange flehen, ungeachtet der Jude, nach eignem Geständniss, sich es viele Carolins hatte kosten lassen, um den raren Herrn zu sprechen. Endlich ermüdete des Israeliten Geduld, er bittet nochmals um eine Audienz, die ihm nicht ohne Schwierigkeiten verstattet wird. „Halten Ihro Excellenz," so schloss der Jude die Unterredung, „doch nur ä koriose „Frag zu Gnade! Habe Ihro Excellenz ag die „Bibel gelesen?" — „I, mand, warum nicht!" entgegnete der Minister, „wohl kenne ich ihren Inhalt." — „Nun," fuhr der Jude fort, „so habe Sie ag von Mausche gelesen, „wie er den Aegyptern alles Gold und Silber „mitgenommen hat, aus welchem das abgöttische Volk in der Wüste ä Kälbge gegosse hat. „Nu, worum is es ä Kälbge und kein Barg (Berg) „bei dem grossen Reichthum an Gold gewor-

„den?“ Der Minister, des Juden Tücke nicht ahnend, schwieg. Dreiste fuhr der Jude fort: „Worum? dorum, das Geld ist durch die Hände der Herrn Commissärs geloffen.“

26.

Taubmanniana.

Taubmann wurde in Gesellschaft gefragt, warum die Flemmingschen Bauern, die um Wittenberg herum wohnen, am meisten beteten: „Für die Pferde der Edelleute," gab er trocken zur Antwort, „denn, wenn diese stürben, so ritten die Edelleute auf den Bauern."

Ein Jurist fragte einst Taubmannen, woher er so viel essen könne. Mein Magen, antwortete er, steht immer offen wie ein Advocatenbeutel, der nimmer genug hat; je mehr darin ist, desto mehr will er haben.

Ein Student kam zu Taubmannen, und bat ihn, ein unbedeutendes Gedicht auf seines Vaters Geburtstag ein wenig zu überlaufen (d. i. durchzusehn). Nachdem er das Gedicht durchgelesen, warf er es augenblicklich auf die Erde, trat es etliche Mal mit Füßen, und gab es dem Verfasser mit den Worten zurück: Nun hab' ich es überlaufen.

Bei der academischen Jubelfeier zu Leipzig setzte sich Taubmann in der Thomaskirche in den Stuhl eines Kaufmanns, um die Jubelpredigt mit anzuhören. Der Kaufmann kam, und hieß T. aus dem Stuhle weichen. Mein Freund, sagte T., ich sitze alle Jubeljahre hier, lasset mich nur jetzt hier sitzen, künftiges Jubeljahr will ich euch nicht beschwerlich fallen.

Churfürst Christian II. von Sachsen hatte Taubmannen einst zu Gaste. Als dieser ein Paar gebratene Rebhüner einwickelte, und zu sich stecken wollte, sagte der Churfürst: Herr Professor, ihr sollt nicht sorgen, was ihr essen werdet. Ganz recht, sagte T., ich will auch nicht sorgen, darum stecke ich eben die Hühner in meine Tasche.

Ein Junker am Hofe zu Dresden rühmte sich über der Tafel, er hätte in Wittenberg mehr als 2000 Thaler verstudirt. Monsieur, sagte Taubmann ihm ins Ohr, wenn er einen finden kann, der ihm für seine Gelehrsamkeit 100 Thlr. wieder gibt, so verkauf' er dieselbe ohne Bedenken; denn er wird sie schwerlich höher anbringen.

Als Taubmann unter zwei Schwestern um die jüngste freite, entschuldigte sich sein Schwiegervater, daß es nicht Brauch sey, die jüngste vor der ältesten wegzugeben. Allein, antwortete Taubmann, pflegt man nicht die jüngsten Kinder eher ins Bette zu bringen, als die ältesten? Dieß gelang.

Dreierlei Leute sind jetzt zu wenig auf der Welt, sagte T. zu einem seiner Collegen: Erstlich Junker; denn jetzt will jeder Stalljunge ein Junker seyn: zweitens Aerzte; denn jetzt wollen Hirten, alte Weiber, Zigeuner und

Landstreicher curiren; drittens Juden; denn wenn es deren genug gäbe, so liefen nicht so viele Christen mit dem Judenspieß herum.

Am Hofe zu Dresden war der Wein von dem Hofkellermeister sehr geschwefelt worden, und das Bier schmeckte zu sehr nach den gepichten Fässern. Der damalige Administrator fragte einst Taubmannen, was er von dem Leben an diesem Hofe meine. Eben das, was das Sprichwort davon sagt: Lange zu Hof, lange in der Hölle. Denn man gießt hier den Leuten Pech und Schwefel in den Hals. Sollte es wohl der Teufel ärger machen, als der Hofkeller?

Zu T. Zeit war es in Wittenberg gewöhnlich, durch Strohwische anzuzeigen, wo Bier verschenkt wurde. Diese Bierzeichen mochte T. nicht leiden, und sagte deßhalb: Das sind lauter Irrwische. Sie verführen die Studenten schon am Mittage, daß sie vor Mitternacht nicht wieder nach Hause kommen.

Cardinal Clesel warf an der Churfürstlichen Tafel Taubmannen vor: Was thun die vollen Deutschen nicht? Ei, sagte T., schweigen doch Ihre Eminenz ganz stille, sonst muß ich sagen: Was thun die nüchternen Cardinäle nicht?

Während einer Vorlesung sah T., daß der Rathsweinschenk zu Wittenberg etliche Kübel mit Wasser in den Weinkeller trug. Er schrie mit einem Male auf dem Catheder laut auf: Feuer, Feuer! Die Studenten fragten, wo, und T. antwortete: im Keller, im Keller! Die Studenten zogen alsbald hin, und fanden den Weinschenken auf dem Faß sitzen, und Wasser einfüllen. So brachte er die im Finstern schleichenden Wiedertäufer und Weinverderber ans Tageslicht.

27.

Grabschriften.

Hier liegt der sehr gestrenge Herr,
Der wenig aß, doch destomehr
Trank alle Arten guten Wein
Vom Neckar, Mosel, oder Rhein.
Er bittet dich, lieber Herre Gott,
Drum nicht so sehr ums Himmelsbrod;
Gib ihm nur von dem Himmelstrunk,
Zehn Maß und drüber sind genug.
Dann wird er preisen dich, o Herr,
So wie kein andrer nimmer mehr.

Hier lieget Frau Sybille
In tiefer Grabtsstille,
Und wartet auf den jüngsten Tag,
Daß sie aufstehe aus dem Grab.
Das Schweigen drückt sie gar zu sehr,
Erwecke sie *zuerst*, o Herr.

Hier liegt Herr Melcher,
Ein Pfarrer geweßt ist, welcher

Hat gelebt in Tugend und Zucht,
Und ist gestorben an der Wassersucht.

Hier liegt das junge Oechselein,
Des Tischer Ochs sein Söhnelein,
Von dem der liebe Gott gewollt,
Daß es kein Ochse werden sollt.
Drum hat er ihn aus dieser Zeit
Gefordert in die Ewigkeit.
Dieß Grabmal zu Ehren hat gemacht,
Der Kind und Sarg und Grab gemacht.

Hier liegt Meister Peter im grünen Gras,
Der gern Sawrkraut aß,
Und gern trank guten Rheinschen Wein:
Gott wolle seiner Seelen gnädig seyn!

Hier liegt begraben Käs und Brodt,
Den hat gemordt der bittre Todt,
Dieweil er gelitten grosse Noth,
An seinen Hörnern ohne Spott;
Sie seyndt gewesen ganz blutroth,
Und haben gestuncken wie ein Koth,

Dazu gewogen tausend Loth,
Dem woll genaden der liebe Gott.

Hier liegt begraben Hanns Schmidt,
Der trank gern allzeit mit,
War zehn Jahr lauter Sonntag alt,
Und dabei noch wohlgestalt,
Trank aus sechzig Fuder Wein,
Gott woll' seiner Seelen gnädig seyn.

(Zu Neustadt an der Aisch.)

In Langen, einem Dorfe zwischen Frankfurt und Darmstadt, herrschte vor einigen Jahren die Viehseuche in so hohem Grade, daß binnen kurzer Zeit die meisten Kühe fielen. Man rieth der Gemeinde als ein sicheres Präservativ an, den Adjunct des Fasselochsen lebendig unter das Thor zu begraben. Vernünftige Leute wußten indessen die Ausführung dieses barbarischen Vorschlages zu verhindern. Nach wenigen Tagen raffte die Seuche auch das Stierlein hinweg. Ein Theil der albernen Bewohner des Ortes begruben nun den Gefallenen heimlich an dem bewußten Ort, und dieß gab zu folgender Grabschrift Anlaß, welche ein Dichter in dem benachbarten O......ch verfaßte:

Ruhe sanft unter unsers Dorfes
Thür,
Armer allzufrüh verreckter Stier.
Was du warest, das sind wir
An deiner Gruft versammlet hier.
Jenseits sehen wir uns wieder,
Wir als Ochsen deine Brüder.

Grabschrift eines an der Grenze von .... todt gefundenen Kindes, welches der vorurtheilsfreie catholische Prediger auf dem dasigen Friedhofe beerdigen ließ:

Trotz der Ehre gab die Liebe mir
den Keim vom Leben,
Trotz der Liebe hat die Ehre mir
den frühen Todt gegeben.

28.

In-, Auf- und Ueberschriften.

Ueber den ledernen Feuereimern auf dem Rathhause zu Hirschau steht folgende Inschrift:

Hier hangen die Eimer in gemein.
Ein jeder Bürger der hat ein,
Den er vor sich kann brauchen frei,
Im Fall der Noth, da Gott für sey.

Caspar Koch, ein Rathsherr, klein von Statur und gering von Ansehen, hatte in seiner Jugend die Schulen durchlaufen, und ging noch immer mit dem Wunsche um, die Feder mit den Worten zu vertauschen, d. h. Pastor, oder Cantor zu werden. Er baute einst ein neues Haus, welches von einem Spottvogel mit nachstehender Inschrift geziert wurde:

Herr Balzar Koch ist guter Art,
Patritius Senator,
Humanus, ehrbar, wohlgelahrt,
virtutis et amator,

Er hält gar nichts von bibere, das
man itzt treibet sehre
Sed mavult versus scribere, das
bringt ihm größ're Ehre.
Helfe der große Apollo fromm,
daß er in seinem Gebehrde
Eine schöne Poetische Kron bekomm,
und laureiret werde.
Der wird auch diesen tapfern Mann
und trefflichen Cantorem
In kurzer Zeit auch kommen lan
Pastoris ad honorem.

Inschrift über der Behausung des Weinhändlers Hammer zu Wien bei Gelegenheit einer allgemeinen Stadtbeleuchtung:

Der Kaiser und der Ungarn Wein sind
unsrer Herzen Gott;
Wer diese Wahrheit leugnen will, den
schlägt der Hammer todt.

Ein Leichenbitter in Nürnberg hatte sich folgendes Motto auserkohren, und über seine

Hausthüre schreiben lassen (man kann es noch jeden Tag lesen):

Achilles war ein stattlicher Ritter,
Allhier wohnt der beste Leichenbitter.

Auf einem mit seltsamen Kunstfleiß von Meister Martin Staar, dem Zinngiesser, gefertigten Krucifix, welches derselbe, nach der Heimkehr von seinen Wanderungen, zufolge eines Gelübdes, auf dem Altare der Pfarrkirche niederlegte, liest man nachstehende Zeilen:

Ich Martin Staar habe mich bedacht,
Und habe dieß Krucifix gemacht
Im tausend sechshundert und ein
und achzichsten Jahr,
Da Doctor Heidekorns Sohn,
Herr Martinus der erste Oberpfarrer in der Hauptkirche
dieser Stadt zu St. Jacob
mit allen Ehren war.

In Rotterdam sollen an einem Hause, in welchem eine Garküche ist, nachstehende Zeilen in Stein gehauen seyn:

Was helfen uns die guten Werken,
Hier mästet man Schweine und
Ferken.

Bruchstücke aus dem Testament eines Oesterreichischen Officiers, der im letzten Türkenkriege fiel.

Für jene Kleine
(Die ich meine,
Kann man schliessen,
Und gleich wissen)
Will ich lieber
Andre drüber
Edelmüthig
Und so gütig
Lassen sorgen.
Pferd' und Zügel,
Sattel und Biegel
Port d'Epée, mein Freund! *)

*) Dotation für den Unterlieutenant.

Sind dir vermeint:
Auch die Pistolen
Kannst du holen.
Huth und Säbel
Dem Feldwebel;
Den Ueberrock
Und meinen Stock
Sammt den Hosen
Dem Profosen.
Wasch' und Kleider
Und so weiter,
Nebst meinem Zelt,
Ein wenig Geld,
Das Bett daneben,
Will ich geben
Meinem Seidig *),
Der stets freudig
Meinen Willen
Zu erfüllen
Durch viel Jahr
Beflissen war.

*) Dotation für den Fourirschützen.

Schlußworte einer Predigt gehalten von Pastor ......t zu ......n am 25ten October 18...

Jerusalem hat hohe Mauern,
Grobe Esel sind meine Bauern
Sie geben mir den Decem nicht, —
Meinen Jesum laß ich nicht.

Titel eines alten Gesangbuchs in der Gegend von M......g.

Dies Harfengeklinge, Davids Gesicht,
Verlegt allhier Schultheis und Gericht.

Erklärender Text zu den Kupfern.

Eine unentgeldliche Beilage.

Platte No. 1. Seite 14.

Die hier von dem Künstler dargestellte Gruppe gehört ohne Widerrede zu den pikantesten Bildern, womit der Hipponax ausgestattet ist. Das Crasse des Contrastes zwischen dem alten grämlichen Eheherrn und dem jugendlichen kräftigen Weibe, selbst das Mißverhältniß der Größe, alles spricht für die arme Rose. Wir kennen bereits die schwache Seite der guten Frau, darum mögen uns nur einige, vielleicht nicht ganz überflüssige Bemerkungen vergönnt seyn.

Herr Jeremias Falk, um bei dem pater familias, als der Hauptperson vel quasi anzufangen, hat ungeachtet des süßen Beinamens, womit ihn der Schmeichelmund seiner schönen Hälfte belegt, eine höchst sauere Außenseite. Wer uns nicht glauben will, der beliebe das Konterfei

anzuschauen, und dann muß jeder Zweifel weichen; denn was die Augen sehen, glaubt das Herz, wie uns das Sprichwort lehrt. Costüm und Haltung deuten auf einen Mann aus der alten Welt, der leibliche Umfang auf eine nahrhafte Stelle; man weiß ja, wie es bei Zöllnern und Sündern geht. Eine sprechende Aehnlichkeit waltet zwischen des Herrn Physiognomie und dem Portrait ob, welches wir über der Nacht- und Reisemütze an der Wand erblicken. Man kann sich des Gedankens nicht erwehren, die Schilderei für das Bild des Vaters vom Acciser zu halten. Der einzige Unterschied liegt darin, daß der gemalte Herr Falk aufwärts sieht, gleichsam als hätte er kein Wohlgefallen an der Geschichte, die unter seinen Augen sich ereignet, indessen der lebendige Jeremias, freilich nicht ganz aus freier Willkühr, den Blick senkt. Auch die Allongenperücke trägt dazu bei, einige Differenz in beide Gesichter zu bringen. Allein wir sind bereit, die Hälfte unseres Honorars zu verwetten, daß, könnte man Perücke und

Nachtmütze auf den Häuptern verwechseln, beide Gesichter einander bis zum Entsetzen ähnlich seyn würden.

Bei weitem anziehender, und gewissermassen eine Schadloshaltung für das Gesicht des Zöllners, ist die reizende Rose. Die schelmische Hand des Künstlers hat uns das Weibchen fast in Evas Costüm dargestellt, so daß es in Wahrheit keiner Worte mehr bedarf. Das Auge eines jeden Lesers hat hier einen grossen Spielraum, und es wäre unbescheiden, wollte man noch mehr erforschen. Aus welchem Grunde das Senkblei der Uhr wohl gerade über dem Herzchen der Schönen schweben mag?

Von des Accisers Hausfreunde, den wir im Hintergrunde das Feld räumen sehen, läßt sich nichts besonders sagen. Man wird sich den Zweck seines Besuchs wohl ohne Commentar zu erklären wissen, und auch sein Abzug ohne Sang und Klang ist leicht verständlich. Daß der Martissohn zur Cavallerie gehört, dieß müssen wir aus den namhaften Stiefeln schließen, welche die behülfliche Zofe zur Thüre hinaus zu maneuvriren im Begriffe ist. Betrachtet man die linke Hand des Lieutenants mit einiger Aufmerksamkeit, so wird man, da nur der Daumen und der Zeigefinger frei sind, zu dem Glauben verführt, daß die übrigen Glieder der Hand eine Erkenntlichkeit für den kleinen weiblichen Spion umschließen. Gern würden wir uns für diese Vermuthung Gewißheit verschaffen, allein es ist uns nicht erlaubt, dem Abziehenden vor die Thüre zu folgen.

Für den altmodischen Sinn des Falkischen Hauswesens spricht schon das einzige Meubelstück, der solide Tisch und der unermeßliche faltenreiche Bettvorhang, dessen sanftes Grün mit der Augenschwäche des Zöllners in Beziehung stehen dürfte.

Was die Tageszeit betrifft, so stimmt das Bild mit dem Texte nicht pünktlich überein. Dieser möchte uns fast zu dem Verdachte berechtigen, daß Frau Rose ihrem Trauten ein nächtliches Rendezvous gestattet habe. Allein die

Uhr belehrt uns eines bessern. Hier kann man sich deutlich davon überzeugen, daß es beinahe sechs Uhr, mithin des Lieutenants Visite ein bloßer Morgenbesuch ist. Das Negligee des Pärchens wird vielleicht für manche engherzige Seele noch ein Aergerniß seyn, allein wer mag bei solchen Kleinigkeiten sich aufhalten. Auch möchten wir um keinen Preis die arme Frau Rose in einen zweideutigen Ruf bringen.

Von dem gedruckten Plakat, womit die Außenseite der Thüre decorirt ist, würden wir gern etwas Genaueres sagen, aber wir müssen hier unsere Ignoranz freimüthig bekennen. Auch für die schärfste Brille blieb die Schrift eine terra incognita. Nicht einmal die Natur des Wappens vermochten wir zu ergründen. Sind die Schildhalter Löwen, oder Greife? Für das erstere sprechen die langgeschwänzten Hintertheile, und somit bietet dieser Wink vielleicht ein Mittel dar, um sich über jene allerdings ungemein wichtige Materie in Weigels großem

Wappenbuche, oder in Speneri ars heraldica genauer zu unterrichten.

Platte No. 2. Seite 94.

Wir wissen zwar nichts Näheres über den Sieg bei Hammelburg, auf welchen es in dem angefüllten Gotteshause abgesehen ist; denn das Conversationslexicon, die officiellste Quelle, reicht noch nicht bis zum Buchstaben H., doch können wir nicht in Abrede stellen, daß der Anblick des Bildes uns mit süßer Rührung erfüllt hat. Mit welchem heiligen Eifer lobpreiset nicht Herr Muff den Gott der Heerscharen? Dem Manne ist es in so hohem Grade Ernst mit der Verarbeitung seines Textes, daß er mit den geballten Fäusten thätig zu werden beginnt. Wir sind für den Pult nicht ohne Besorgniß, und werden noch ängstlicher, wenn wir überlegen, was der Fall desselben für nachtheilige Folgen auf das Haupt des unmittelbar unter den Kanonen der Canzel verweilenden

Vorsängers haben könnte. Der blasende Hauch des geistlichen Trompeters scheint auf die Zierde seines Kopfes eine eigne Repulsivkraft zu haben. Man sieht, wie die Kehrseite der Perücke nach dem Russischen Redestuhl emporstrebt.

Die Masse der andächtigen Zuhörer ist übrigens sichtbar in zwei Hälften getheilt. Die eine, welche wir die duldende nennen möchten, macht mit dem blasenden Küster gemeinsame Sache, während die andere sich theils passiv verhält, theils zum Critisiren geneigt scheint. Zu den Duldern gehören vorzugsweise der wohlgenährte Freund im Vordergrunde, die alte Betschwester und die beiden Halbwüchsigen im Chor.

Was den Blaurock betrifft, den eigentlichen Rädelsführer bei dem Vocalunfug, so halten wir den Mann, ohne daß wir jedoch unsere Meinung für mehr als eine Hypothese gelten lassen wollen, für einen Parteigänger der Schustergilde. Die Töne, welche er entwickelt, müssen sehr vernehmbar seyn, denn wir glauben die Melodie des Liedes gehört zu haben. Sein Nachbar, wahrscheinlich der Barbier des Ortes, ist mit der Sache noch nicht ganz auf dem Reinen. Noch ist er unentschlossen, ob er an dem Halleluja des Sängers Theil nehmen, oder sich mit der verständigen Miene eines Besserwissers ausrüsten soll. Solche Mienen sind für manche Personen, zumal für verbrauchte Hofleute, ein gar herrliches Vehikel, um hinter diesem Bollwerke ihre Stupidität zu maskiren. Und in diese Categorie scheint uns das Menschenkind zu gehören, welches auf des Dicken rechter Seite zu sehen ist. Wir halten dafür daß der Mann seine Humaniora als Laquai gemacht habe. Jetzt dürfte er, wie gesagt, Vorstand der Bärte in Hrn. Muffs Kirchspiel seyn.

Von den beiden hoffnungsvollen Kleinen stimmt der eine (der mit der geistvollen Gesichtsbildung) recht con amore in seines Herrn und Meisters Episode ein. Er wird zum Ganzen nach besten Kräften wirken; denn Mutter

Natur hat ihn, wie Figura zeigt, mit einem sehr ansehnlichen Sprachorgane ausgestattet, auch stützt er sich, um dieses in seinem ganzen Umfange geltend zu machen, mit voller Kraft auf das Geländer des Chors.

Ueber den andern Bengel würden wir mit Freuden etwas sagen, allein ein unglücklicher Zufall will, daß er uns nur von der Rückseite sichtbar ist. Zu Gallischen Untersuchungen möchte sein Hinterkopf sehr geeignet seyn, und wir empfehlen ihn in dieser Hinsicht der Aufmerksamkeit unserer kunstverständigen Leser.

So viel von dem männlichen Personal, welches das Gotteshaus umschließt. Die Emporkirche läßt uns zwar noch gar manches Gesicht erblicken, allein zu cryptogamischen Untersuchungen sind wir dermalen nicht gestimmt.

Von den Andächtigen des schönen Geschlechtes haben wir bereits der bejahrten Sängerinn gedacht. Ob sie wohl die Mutter des blauen Schusters ist? Wenigstens scheint sie nebst diesem am heftigsten vom Singschwindel ergriffen. Hinter der alten Dame verbirgt ein artiges Kind die liebliche Gluth ihres Gesichtchens mit dem papiernen Bollwerke ihres Fächers. Hat man uns nicht mit Unwahrheit berichtet, so ist dieß des Trompeters Töchterlein und dann läßt sich die Verlegenheit des armen Mädchens leicht enträthseln, zumal da ihre Nachbarinn, ein ungemein frappantes Basen-Gesicht, sich über des Papas Diensteifer einige Bemerkungen zu erlauben scheint.

Platte No. 3. Seite 175.

Ein schönes Gegenstück zur vorigen Platte, nur daß die Versammlung minder zahlreich ist. Ein seltner Fall; denn heut zu Tage sind leider die Schenken gar oft voll, indessen man die Kirchen leer findet. Das Kleeblatt, vor welchem Herr Töffel mit der Effronterie gewisser Zeitungsschreiber, seine Gascognaden auskramt, ist einer nähern Betrachtung nicht unwerth. Der behagliche Bauer zur Linken scheint mit der Geschichte bereits vertraut zu seyn. Er hört indessen mit sichtbarem Interesse und mit nachahmenswerther Gravität noch Einmal zu. Der Mann hat sich einen soliden Stützpunkt ausersehen, die Biertonne. Der Passus, welchen der gereiste Junge eben jetzt verhandelt, muß wichtig seyn, da man sich nicht einmal Zeit nimmt, das Pfeifchen zu erneuern. Das Vis-a vis des dicken Zuhörers, der rauchende Landmann mit der verschmitzten Miene, hört zwar gleichfalls aufmerksam zu, aber er verdaut das Gehörte schneller als die andern, er denkt, oder ist wenigstens im Begriff denken zu wollen. Der Kopf hat etwas Altkluges, und gehört bestimmt einem der Ortsvorstände an, der sich nur jetzt im einfachen Hausornat befindet. Am unbedeutendsten ist das Bauerngesicht im Hintergrunde. Hier gilt die Lüge für baare Münze. Der Verstand des Mannes hat einen Stillstand gemacht, wie seine Hand am Deckel des Bierkruges. Er scheint noch eine Portion aus des

Redners Munde abwarten, und dann die ganze Ladung mit einem kräftigen Schluck hinunterspülen zu wollen. Was die Hauptperson, den erzählenden Töffel, betrifft, so läßt sich nicht läugnen, daß Vater Gürge sein Geld gut angewendet hat. Welch' herrliche Früchte wird ihm dieß Kapital noch tragen?

Platte No. 4. Seite 183.

Der Hebräische Stallmeister, dessen Kunstfertigkeit hier figürlich dargestellt ist, spricht sich in so hohem Grade selbst aus, daß die Platte keiner weiteren Erläuterung bedarf. Das Carrikirte seiner Außenseite muß selbst dem Rosse fühlbar seyn; denn das Thier scheint vor dem gefallenen Reuter sich zu entsetzen. Die Stutzperücke hat einen bedeutenden Schaden gelitten, wie ihre verschobene Figur deutlich bemerken läßt. Es mag wohl früh am Tage seyn; denn das Publicum, welches der Evolution zusieht, ist durchaus ländlicher Natur, und Niemand von den weichlichen Städtern — das gute Kind abgerechnet, welches am Fenster erscheint, und dem wir einen freundlichen Morgengruß darbringen — läßt sich noch auf der Strasse erblicken. Bessere Häuser und die beiden hervorragenden Thürme in der Ferne machen es wahrscheinlich, daß dort der schönere Theil der Stadt zu suchen ist. Ihre Bewohner ruhen noch in Morpheus Armen. Welch ein Verlust für die Schaulustigen, die den Anblick der burlesken Scene des Israelitischen Luftspringers entbehren müssen!

CPSIA information can be obtained
at www.ICGtesting.com
Printed in the USA
BVOW09s1656260418
514512BV00013B/385/P